A TRAVÉS DE LA TRAMA

SAÚL YURKIEVICH

A TRAVÉS DE LA TRAMA

Sobre vanguardias literarias y otras concomitancias

Muchnik Editores

Ronda General Mitre, 162,
08006 Barcelona

Cubierta: Escalinata de la Biblioteca Laurentina
en Florencia, de Miguel Ángel.
Foto de Mario Muchnik

Contracubierta: foto J. y C. Murcia

ISBN: 84-85501-64-0
Depósito legal: B. 27.630 - 1984

Impreso en España
Printed in Spain

Sobre la vanguardia literaria en América Latina

Si aceptamos que la literatura latinoamericana es un continuo textual alterado por fallas o cortes más o menos periódicos que trastocan los consensos o las normativas asentadas, no sería improcedente pensar en el enfrentamiento de dos tradiciones, la de la conservación y la de la renovación. A la renovadora corresponden cuatro rupturas nítidas: romanticismo, modernismo, primera y segunda vanguardia. Si nuestro romanticismo empieza dos décadas después del europeo, el modernismo reduce el retardo, la primera vanguardia es ya sincrónica de la francesa y la segunda surge como manifestación independiente dentro del contexto mundial.

En el flujo y reflujo de la tradición y la innovación interviene un contraste todavía de fondo entre cultura rural y cultura urbana, la una regional, autóctona, la otra mundana, cosmopolita. El pasatismo y el futurismo en América Latina están íntimamente vinculados con la flagrante diferencia entre sociedades agrarias, arcaicas, duales o feudales, de escasa diferenciación productiva y estructuralmente inmóviles, y sociedades de relativo desarrollo industrial, alto grado de urbanización y escolarización, considerable diversificación y movilidad de clases. La cultura rural, más estable y con más neta identidad étnica, es conservadora, se repliega sobre sí misma para preservar su singularidad del embate homogeneizador de la civilización urbana. Al margen de la revolución tecnológica y de la era de las comunicaciones, no vive la aceleración histórica, el culto al cambio o al intercambio ni las transformaciones tan vertiginosas como radicales de las grandes ciudades, las del revoltijo contrastante, las del aluvión inmigratorio, las de la mezcolanza multitudinaria, las removedoras masivas, las provocadoras de los encuentros y los desequilibrios mayores. La vanguardia es un fenómeno de las capitales relacionadas con el intercambio internacional; la modernolatría es una devoción ciudadana. Pero en literatura, el regionalismo conservará su vigencia mientras perdure el subdesarrollo, y quizá después, como nostalgia, como factor que devuelve al arte el aura, la sacralidad telúrica y la identificación mitológica con la naturaleza. El regionalismo y el cosmopolitismo están directamente ligados al grado de ruralización o de urbanización de cada área cultural.

Exteriormente, la vanguardia aparece como índice de actualidad generado por los centros metropolitanos en su proceso de modernización. En concordancia con el desarrollo que va a transformar las ciudades aldeanas en cosmópolis multitudinarias y babélicas empeñadas en dotarse de los adelantos del progreso técnico, los movimientos de vanguardia reflejan el afán de equiparamiento, no siempre concorde con el ritmo, la idiosincrasia y la capacidad de asimilación de la cultura ambiente, este afán que a menudo se vuelve demasiado tributario de modelos exteriores apenas asimilados, plantea el problema de la dependencia de las culturas periféricas con respecto a las metropolitanas.

Para dilucidar el vínculo entre culturas centrales y excéntricas, que condiciona la relación de nuestra literatura con las tradiciones disponibles, creo necesaria una reflexión. Toda obra de arte es un objeto que concreta ciertos valores estéticos; es a la vez una factura técnica, una configuración específica, un ordenamiento perceptivo, un signo, un símbolo, un producto psicológico individual y colectivo, un hecho ligado a un proceso histórico que lo involucra, un epistema, un modo de acción y de conocimiento propio de una sociedad. Mezclando elementos tomados de la realidad inmediata con otros extraídos de tradiciones imaginarias, el artista conforma una materia para componer una hechura que simboliza las concepciones, mitos, quereres y sentires de su sociedad.

Como latinoamericanos, desde nuestra perspectiva periférica, debemos poner entre paréntesis las nociones de universalidad e intemporalidad del arte, demasiado ideales, difusas y etnocéntricas. Ellas ocultan las diferencias, las desigualdades entre culturas centrales y excéntricas, imperiales y coloniales, para instaurar un panteón de arquetipos desconectados de su condicionamiento original. Perpetúan un malentendido humanista que todavía nos expulsa a los suburbios de la civilización.

Si consideramos al arte como un sistema de comunicación que se expresa a través de esquemas temporarios inventados en un cierto medio historicocultural, en relación con las conductas técnicas y cognoscitivas de una determinada sociedad, desechamos no sólo la eterna universalidad, también restringimos su independencia. Creo más pertinente hablar de la inalienable especificidad de los lenguajes estéticos que de su autonomía. Todo ello concurre a restablecer el vínculo entre el arte latinoamericano y el medio en que se genera, a tomar conciencia del condicionamiento social de la producción artística.

Nuestros escritores no sólo asumen ese vínculo y ese condicionamiento, sino que lo han transformado en movilizador, en materia prima, en matriz inspiradora y en fuerza motriz de su producción. La narrativa, sobre todo, por su carácter más referencial que el de la lírica, se ha localizado e historificado buscando a la par los medios más apropiados para representar ese revoltijo contradictorio, ese bullente atolladero, ese entrevero de disparidades, esa turbamulta eruptiva que es América Latina, para figurar y aprehender la complexión de lo real en vilo.

Puede decirse que nuestra literatura, espontánea o programáticamente, se ha propuesto inscribir nuestra América, configurarla y fabularla por la palabra, idearla dotándola de imagen decible y conocible. Nuestra realidad nos ha instigado, nos ha acuciado para que la consignásemos. Si se toma el conjunto con mirada englobadora, puede afirmarse que la gran tarea de nuestra literatura fue la de nominar, la de colonizar verbalmente el nuevo mundo. Este llamamiento y a la vez desafío actúa como impulsor de innovación, porque la realidad es un cúmulo móvil que exige una constante adecuación de la visión, de los módulos de percepción y de los instrumentos de transcripción. Así, periódicamente, las vanguardias artísticas se encargan de restablecer la correspondencia entre la actualidad cognoscitiva y su figuración, entre concepción del mundo y representación visual, sonora o verbal. Oscar Wilde, fiel a su idea paradójica de que la naturaleza imita el arte, sostuvo que el siglo XIX, tal como lo conocemos, es por completo una invención de Balzac. Concomitantemente, puede aseverarse que la América Latina conocida es una creación de sus escritores. Ellos la han formulado, y formalizaron las representaciones que conforman, que modelan esa cambiante demasía, esa infinita, esa heterogénea multiplicidad de lo real. Ellos la centran, la concentran, la dibujan, la organizan para tornarla abarcable, decible, consignable, inteligible, transmisible. En tanto que nuestros pueblos no han podido liberarse de la dominación exterior, la primera gran toma de posesión de ese vasto significante que llamamos América es realizada por nuestra literatura.

Los escritores latinoamericanos tienen hoy la convicción de que el subdesarrollo, tan difícil de reducir en el plano material, tan difícil de vencer en el orden de las grandes realizaciones colectivas, puede ser al menos superado en las actividades estéticas. Mientras que no se deja a nuestros pueblos salir del atraso, poseemos ya una literatura desarrollada. Tal conquista, con el consiguiente beneficio social que comporta, ha modificado la relación de los escritores con los modelos metropolitanos y ha estimulado su inventiva. El alto nivel de sus obras, su competencia técnica y su densidad de sentido, nos han permitido conseguir una personería literaria reconocida por doquier. Esta independencia de la letra es sobre todo un logro vanguardista conquistado a través de varias rupturas innovadoras con respecto a las tradiciones imperantes. Estos cortes inscriben a su vez una nueva tradición, la tradición de la ruptura en permanente conflicto dialéctico con la secular, la de la continuidad: antagonismo recíprocamente estimulante e influyente entre una tradición conservadora y otra revolucionaria. Se trata por fin de la perpetua oposición de resistencia contra intensidad, de contención contra explosión, contracción contra dilatación, poder sujetador contra poder de dispersión.

El modernismo: genitor de la vanguardia

La vanguardia librará sus ofensivas tratando de borrar todo legado. Validará sólo un presente versátil, proyectado hacia el futuro, un presente prospectivo, vector de incesante progreso, cercenado de toda dimensión pretérita. La primera vanguardia renegará radicalmente del pasado inmediato sin vislumbrar que todos sus propósitos, que todos sus logros habían germinado poco antes. Una perspectiva casi secular nos permite reconocer ahora la conexión causal entre modernismo y primera vanguardia. Así, la tríada culminante de poetas vanguardistas —Vicente Huidobro, César Vallejo, Pablo Neruda— debe vincularse genéticamente con la de sus precursores modernistas: Rubén Darío, Leopoldo Lugones y Julio Herrera y Reissig.

Nuestra modernidad comienza con el modernismo, amalgama muy americana que todo lo involucra, desde las evanescencias del simbolismo hasta el fervor maquinista de Walt Whitman. El modernismo provoca la primera convergencia literaria continental y la primera verdadera internacionalización de nuestra poesía. Con él aparece la modernidad tal como la concibe nuestra época: afán de actualidad, de participar en el progreso y en la expansión de la era industrial, de lograr una poesía comunicada con el mundo, que tenga el temple y el ritmo de un presente de vertiginosas transformaciones. Coexistiendo con el idealismo estético, con el anhelo de armonización, con los refinamientos sensoriales, con el boato, con el exotismo, con la ensoñación fabuladora, con la parodia de las literaturas pretéritas, el modernismo porta los gérmenes de la primera vanguardia.

Su sensibilidad impresionista promueve una fluidificación, una correspondencia y una circulación entre todos los órdenes de la realidad: prefigura las libertades imaginativas de los vanguardistas. Al querer captar lo móvil e instantáneo, prepara la visión veloz y simultánea, la mutabilidad, la excitabilidad de la proteica poesía de vanguardia. Con los modernistas comienza la identificación de lo incognoscible con lo inconsciente, de la originalidad con la anormalidad. La oscuridad y la incongruencia empiezan a convertirse en impulsores de la sugestión poética. Lo arbitrario, lo lúdico, lo absurdo, devienen estimulantes estéticos. Por irrupción de las potencias irracionales, la enarmonía y la entropía invaden el poema, las oposiciones y los conflictos se instalan en el interior del discurso para minar la concatenación lógica, la coherencia conceptual. El signo poético se vuelve hermético, ilógico, anómalo, cada vez más distante del discurso natural. El poeta busca un voluntario obnubilarse para transgredir los límites de la percepción normal, busca sobrepasar los significados emergentes para que resurjan las virtualidades semánticas.

Como los vanguardistas, los modernistas se empeñan en inscribirse como hombres del nuevo siglo, en manifestar explícitamente su contacto con la historia inmediata —son los primeros panamericanos antiimperialistas—, pero a la vez acentúan la autonomía poética, bregan por crear entidades autosuficientes, por romper con la literatura mimética, por dotar al poema de una belleza no restringida por la subordinación a la realidad empírica. Darío, a la par que las oligarquías ilustradas que gobiernan las entonces prósperas repúblicas de América Latina, descubre con deslumbramiento una realidad en acelerada metamorfosis: la era de la expansión tecnológica, de las comunicaciones, de las excitaciones de la urbe moderna, una actualidad que ha roto los confinamientos nacionales e idiomáticos, que presiona ahora en escala planetaria. Darío, como los gobernantes de su época, quiere ser mundial importando de inmediato todo lo que indique contemporaneidad: el maquinismo, la modernolatría futurista, la vida multitudinaria, el *spleen,* la neurosis, el deporte, el turismo, el dandismo, el poliglotismo, el *art nouveau.*

El modernismo opera la máxima ampliación en todos los órdenes textuales. Abarca por completo el horizonte semántico de su época, de esa encrucijada finisecular donde la concepción tradicional del mundo entra en conflicto con la contemporánea. El modernismo ejerce la máxima amplitud tempo-espacial, la máxima amplitud psicológica, la máxima amplitud estilística. Produce la primera ruptura del confinamiento de nuestras literaturas comarcanas, una actualización que acuerda el arte latinoamericano con el metropolitano. Por el prolongado aislamiento de nuestra cultura, por el atraso acumulado durante el período de las economías de subsistencia y de las guerras intestinas, una vez vencidas las resistencias regionales y consolidada la integración de la estructura agroexportadora al mercado mundial, la internacionalización es virulenta: se quiere absorber vertiginosamente la historia universal y toda la geografía terrestre. Avidez de una cultura periférica que anhela apropiarse del legado de todas las civilizaciones prestigiosas, en todo lugar y en toda época. De ahí que los modernistas se empeñen en la práctica del *patchwork* cultural, en la tan heteróclita mezcla de ingredientes de toda extracción. Sus acumulaciones no sólo son transhistóricas y transgeográficas, son también translingüísticas, como corresponde a un arte de trotamundos poliglotos. Este translingüismo tan frecuente en la literatura del siglo XX, es practicado por Apollinaire y por Joyce y llevado a su ápice por Ezra Pound, es decir por otros escritores provenientes también de culturas periféricas. Ejercitado por Huidobro y por Vallejo, será retomado por la poesía y la narrativa más actuales (un ejemplo cabal: *Rayuela,* de Julio Cortázar). El translingüismo es el correlato verbal de esa visión cosmopolita que, a partir de los modernistas, transforma a la vez la representación y la escritura.

El cosmopolitismo idealista de los modernistas está en correlación y en oposición con el cosmopolitismo mercantil del capitalismo liberal, floreciente y eufórico por el reciente ingreso de los mercados latinoamericanos al gran circuito del comercio internacional. Esta oligarquía, que logra colocar a los países de producción primaria, sobre todo los de espacio abierto en zona templada, en puestos prominentes dentro del proceso integrador de la economía mundial, se vanagloria de su riqueza edificando ciclópeos pastiches: parlamentos romanos, bolsas de comercio helénicas, fábricas góticas, cuarteles moriscos, residencias neoclásicas, edificios con frisos y frescos donde el arte se hermana con las deidades de la clase dominante: ciencia, técnica, progreso, comercio. Tributaria de esta petulante plutocracia imbuida de la obsesión del provecho, la bohemia escarnece el arribismo de la burguesía, se margina del sistema, hace gala de aristocracia espiritual para oponerla a la mesocracia del dinero, extrema una rebuscada estilización para denigrar la falta de refinamiento de los *parvenus.* Se refugia en el onirismo fantasioso, en lo esotérico, lo legendario y lo exótico como vehículos de sublimación, como evasión compensadora frente a la coerción del positivismo pragmático, frente a las sujeciones del realismo burgués.

Si por la recreación arqueológica o la fabulación quimérica los modernistas se liberan de la pacata realidad circundante, son a la vez los primeros en registrar una actualidad que los enfervoriza. Porosos, se dejan penetrar por el culto al cambio que la aceleración de la era tecnológica provoca; se impregnan de ese historicismo optimista que la religión del progreso propugna. Tanto Darío en su *Canto a la Argentina* como Lugones en su *Oda a los ganados y las mieses,* contribuyen a la difusión del mito liberal de América, mundo nuevo, tierra de promisión, granero del planeta, crisol de razas, capaz de ofrecer asilo y prosperidad a toda la mano de obra que el proceso de industrialización y urbanización de las economías europeas marginaba o excluía. En Buenos Aires, Darío descubre la pujanza de la vida moderna; la ciudad portuaria, en plena mutación de aldea colonial en urbe cosmopolita, comienza a equipararse a las grandes capitales, con su tráfico marítimo y su tráfago callejero, con sus fábricas humeantes, con su edificación alta y pretenciosa, con el aluvión inmigratorio que, atraído por la quimera de la riqueza de América, de su movilidad social y económica, transforma en corto tiempo el quieto país criollo dedicado a la ganadería bárbara, en una potencia agropecuaria.

Los modernistas no sólo practican la contemporaneidad explícita, no sólo consignan la actualidad a través de la mención de utilería tecnológica y de adelantos urbanos: la representan en su agitada mezcolanza adecuando los medios figurativos a esa sincopada superposición de heterogéneas y fugaces sensaciones en que se ha convertido la realidad. Utilizan la yuxtaposición caleidoscópica, inauguran la técnica de mosaico, preanuncian el montaje cinemático. Practicando un género vecino al reportaje, consignan la impronta inmediata de una realidad en bruto, apenas versificada para no desnaturalizarla por exceso de configuración literaria. O se sirven de los tecnicismos más prosaicos, que son manifiestos índices de actualidad, para desgajarlos del contexto utilitario y someterlos a un ordenamiento arbitrario como componentes de metáforas irrealizantes, de fabulación lírica.

La poesía modernista es la caja de resonancia de las contradicciones y conflictos de su época. Refleja esa crisis de conciencia que generará la visión contemporánea del mundo. Representa sobre la escena textual una concepción de la subjetividad que se asemeja ya a la nuestra. El poema, de Darío a Vallejo, hará emerger, en vez del sujeto identificable, un sujeto inmerso en el proceso que lo constituye o destituye; no un sujeto presupuesto en relación con un mundo preconcebido, sino un sujeto genético que propulsa la representación de otras relaciones entre conciencia, inconsciente, orden natural y transacciones sociales. La subjetividad insumisa, aboliendo sus bloqueos, manifestará una transversalidad negativa que descompondrá y recompondrá el aparato poético para expresar por desafuero su capacidad de mutación: rompimiento, labilidad, desplazamiento, simultaneidad. Desorganizará la articulación del texto basada en ese consenso acordado como natural, que prejuzga que el lenguaje debe enunciar la afectación corriente de sujetos y de objetos. La desquiciará para desestructurar el discurso, incluso al riesgo de amenazar su funcionamiento social por exceso de significantes nómadas. Lo subvertirá para desautomatizarlo, para reinyectarle la pluralidad pulsional, la carga del fondo impaciente, la pujanza de las heterogeneidades reprimidas.

El poema prorrumpirá para desbaratar la lengua normativa. Desintegrará al sujeto asentado en las posiciones pronominales, poseedor de la locución, central y unitario; lo hará estallar y propasarse para que desborde sus represiones morales, contrarreste sus censuras sociales, transgreda sus contenciones ideológicas. El poceso que con la «psicologación morbopanteísta» de Herrera y Reissig recrudece, culminará con el revulsivo reventón de *Trilce.* El poema, desplazado al límite de lo decible, balbuceará la experiencia incomunicable.

Primera vanguardia: una subversión de la escritura

La vanguardia desmantela el discurso instaurado, lo convierte en un transcurso de desarrollo imprevisible que conecta por relaciones aleatorias los componentes más disímiles; vuelve el poema excéntrico, polimorfo, politonal, multívoco. Instaura la posible ruptura de todos los continuos: lógico, rítmico, temporal, espacial, causal, lingüístico, ruptura de los criterios de semejanza y diferenciación, de los de clasificación y jerarquización, ruptura de todas las permanencias.

Nuestro primer vanguardista es Vicente Huidobro. Antes de 1916, de su instalación en París, usa el verso libre, aplica recursos ideográficos y preconiza una poesía de pura invención, que no copie la realidad extratextual. En contacto con los cubistas y dadaístas parisinos, absorbe las novedades teóricas y técnicas que luego va a difundir en España, donde en 1918 patrocina la gestación del movimiento ultraísta. Las revistas ultraístas propagan la literatura de avanzada por todo el ámbito de lengua española. Proliferan las filiales; Jorge Luis Borges organiza una en Buenos Aires en 1921. El influjo de esta difusión vanguardista obra de inmediato: en 1922 César Vallejo publica *Trilce,* en 1923 Borges publica *Fervor de Buenos Aires.* en 1926 Pablo Neruda publica su *Tentativa del hombre infinito,* equiparable a las primeras obras surrealistas francesas pero no tributaria de ellas.

La poesía deja de ser exclusivamente un acceso a lo sublime, una consagración de la belleza trascendental, une epifanía, para convertirse en perceptora del mundo circundante, del tiempo y del espacio profanos; se vuelve registro de la experiencia en todos los niveles. A la par que desciende de las excelsitudes y se aplica a la realidad por entero (social y natural, mental y corporal), provoca trastocamientos humorísticos, vecindades inusitadas, alteraciones lúdicas que proyectan a un universo de fantasía en libre juego donde las palabras retoman su albedrío. Crisis y revisión de valores, inestabilidad semántica, inseguridad ontológica, explosión vitalista, eclosión irracional, relatividad, buceos en los abismos de la conciencia, rechazo del atesoramiento cultural, revolución social, corte epistémico, abolición de las censuras, lo absurdo, lo arbitrario, la fealdad agresiva, lo prosaico, lo demoníaco, lo instintivo, lo demencial, lo onírico, todo ingresa a la pululante poesía de vanguardia, partícipe de un mundo que agudiza sus contradicciones. Relajamiento de la forma unitaria, libertad estructural, desbarajuste lógico, composición caleidoscópica, montaje cinemático, sorpresas, disonancias, incertidumbres van a enriquecer y enrarecer el mensaje poético; lo vuelven errático, plurivalente, multívoco, acrecientan tanto su carga semántica como su potencia evocadora. Tal es la poética de los cuatro libros decisivos de nuestra vanguardia: *Trilce* de César Vallejo, *Altazor* de Vicente Huidobro, *Residencia en la tierra* de Pablo Neruda y *En la masmédula* de Oliverio Girondo, los cuatro desesperados, convulsos, subversivos.

Trilce, especie de estenografía psíquica, inscribe un decurso accidentado, un devenir que es a menudo un devaneo, un proceso no concertante sino desconcertante donde todo se agolpa. Es un bullente atolladero, un atolondramiento donde estelas de distintos discursos convergen, se interfieren e interpenetran como en el flujo de una conciencia en su deriva que entremezcla órdenes, referencias, tiempos y espacios distintos. Vallejo representa nuestro mundo presidido por la idea de relatividad, simultaneidad, inestabilidad, heterogeneidad, fragmentación, discontinuidad e interpenetración. Registra la realidad tal como la experimenta una subjetividad hipersensible, hiperafectiva y hasta estimuladamente neuropática. Una intelección aguda, capaz de abstraer de la situación inmediata, individual, una proyección genérica, y de dotar a la circunstancia puntual, biográfica, anecdótica, de una dimensión suprapersonal, filosófica, se combinan en Vallejo con el máximo de personalización atribulada, con la extrema arbitrariedad, con la suma singularización estilística, con el tope de ideolecto, de anormalidad.

El realismo de Vallejo es móvil y mudable como la realidad y como el conocimiento que de ella posee nuestra época. Su realismo está nutrido y activado por la realidad misma a través de un intercambio dinámico y dúctil. No se estereotipa en módulos rígidos; no es ni un recetario ni una preceptiva canónica. Su realismo no es una constante formal sujeta a modelos arquetípicos; no es una fórmula sino una relación, epistemológica directa con la realidad. Vallejo no objetiva, no precisa, no prescribe, no distancia, no neutraliza, no enfría. Subjetiva, disloca, patetiza, ironiza, enfatiza, desespera. La tensión, siempre disonante, no es motor de reflexión sino de representación sensible, de figuración o de transfiguración metafórica, es activante anímico e imaginativo.

Vallejo transmite secuencias mentales, figura los borbollones de una conciencia en plena agitación, representada en su energía multiforme, en sus potencialidades previas a todo encasillamiento clasificatorio. Vallejo prefigura las virtualidades de la conciencia, comunica conocimientos germinales, átomos cognitivos arremolinados en su flujo psíquico original, anterior a la codificación demostrativa, a la clasificación categorial, a toda especialización. Las suyas son impulsiones gnómicas, predefinitorias, preanalíticas. La seducción poética proviene del dinamismo inestable, de la bullente mutabilidad, de la labilidad de ese monólogo interno donde fluye un magma mental en estado preformal. Paradójicamente, Vallejo pone su destreza técnica y uno de los instrumentos expresivos más vastos de la lengua castellana, al servicio de una representación caótica. Aplica su talento formal al moldeo de una imagen (un correlatos sugeridor) de lo informe: la inmediatez de su intimidad mental, la convulsiva y heterogénea simultaneidad de su conciencia. Vallejo figura la prefiguración o figura la desfiguración.

Huidobro intenta en *Altazor* desmantelar progresivamente la sujeción referencial y la articulación lógicofáctica de la lengua normal, e intenta suplantarla por otra creada que manifieste directamente la poeticidad. A través de un proceso que va del discurrir a la pura vocalización, se propone intervenir no sólo en el manipuleo del lenguaje, sino y sobre todo en su fabricación. Para devolver a la palabra los poderes genésicos entumecidos por abuso de la función instrumental, Huidobro provoca cortocircuitos, descalabros y cataclismos verbales. Recurre a las potencias oníricas, escapa hacia las comarcas de la imaginación en libre vuelo, donde todas las asociaciones, todas las fabulaciones y todas las trasposiciones son posibles; busca a través de la duermevela y de la imaginación errática el punto unificador de todas las antinomias. Desafía el azar, concierta los encuentros más casuales, busca en lo aleatorio y arbitrario los matrimonios deslumbrantes, el abridero del absurdo, la omnipotencia del eros relacionable. O bien juega con los vocablos, desmantelándolos y recomponiéndolos por nuevo ensamblaje de sus partes; inventa desarreglos que los saquen de las afectaciones y afectuaciones usuales para devolver el lenguaje a un estado preutilitario, mítico, donde la palabra no es un interpósito entre hombre y mundo, sino una energía primordial.

Max Bense distingue dos clases de poesía, una natural y otra artificial. La primera está siempre referida a un ego; su palabra refleja una experiencia personal del mundo; su intencionalidad es extralingüística. En cambio, la poesía artificial no implica una conciencia personalizada que quiere autoexpresarse sino una actividad material, un manipuleo concreto que se circunscribe a inscribir una acción verbal selectiva o contingente. En Huidobro coexisten ambas posturas; concibe una poesía de efusión personal, expansiva e inclusiva, que invade el universo y que a la vez tiende a absorberlo. Pero a la par explora las posibilidades de una poesía autosuficiente, donde el lenguaje es un casi puro campo operativo cuyos confines no pretende trascender. Esta dualidad la manifestará hasta en sus últimos poemas. Ellos nos transmiten intensamente la conmovedora imagen del hombre que vive la vecindad de la muerte; nos transfieren el vasto y cambiante registro de sus sentimientos, la exuberancia de sus visiones, ese apasionado ensimismamiento que todo lo subjetiva. Y a la vez Huidobro trabaja el lenguaje como algo exterior al poeta, como una realidad independiente, un material al que imprime formas estéticas. Si por un lado Huidobro llega al máximo de presencia personal en el poema, de subjetividad patética, simultáneamente inaugura una nueva actitud productiva, propone una experimentación del lenguaje despojándolo de su habitual contexto psicológico, ideológico y sociológico. Huidobro anticipa lo que hoy se llama poesía concreta.

Residencia en la tierra es un filón de la misma veta mitológica que tiene múltiples emergencias a lo largo de la producción nerudiana y que constituye su médula. Sólo en parte puede considerarse una gestación provocada por particulares experiencias personales, por la enajenadora estada en Oriente, por un ensimismamiento neurótico, por una radical crisis que desmantela yo y mundo. Neruda se propone transvasar al lenguaje con el mínimo de pérdida emocional e imaginativa, una intuición caótica y por ende informe, ininteligible y sólo figuradamente decible, pero de imponente presencia psicológica; obsesiva, presiona y oprime, distorsionando y dificultando su contacto con lo exterior. Un angustioso aislamiento lo desampara y anonada. El poeta no encuentra asideros culturales, sociales o históricos para cubrir el vacío, para evitar el derrumbe. Ve por doquier la destrucción, el olvido, la soledad, la muerte por desgaste, las materias desvencijadas, lo confuso haciéndose polvo. Se siente rodeado por extensiones desérticas, cercado por la desintegración. Moradas deshabitadas, casas y barcos abandonados donde la única huella de sus ocupantes son utensilios en desuso, ropa tirada, trapos sucios, dispares acumulaciones de desechos, todo encarna el incesante avance de la disolución. Es la crisis de la conciencia romántica (Neruda es en sus *Residencias* un expresionista que proyecta sus estados corporales y anímicos a la realidad objetiva) frente a un mundo hostil, opaco, impenetrable e inhabitable. El arte ha perdido sus poderes de redención, no puede colmar el hueco ni salvar de la caída, es incapaz de sublimar esa realidad degradada, de posibilitar el vuelo de una ensoñación evasiva, el viaje purificador, la armonización de lo inconciliable, una apertura al más allá. Impedido de ascender, de idealizar, el poeta bucea en lo terrestre, se ensimisma en su reclusión, interioriza sus abismos. En su rastreo va a dar no con una suprarrealidad sino con una intrarrealidad; penetra en su mente y en su cuerpo más allá de sus razones, hacia las motivaciones previas, allí donde las imágenes preceden a las ideas, en las entrañas de la materia que durando se destruye. Allí va a reencontrarse con esa imaginación básica, materializante, naturalizante, con ese epicentro mítico que constituye el principal motor de su poesía.

Los inspiradores de la visión nerudiana son el vértigo cósmico, la imaginación compulsiva, penetrante, sumergible, que pugna por instalarse en el núcleo energético de la madre materia, el erotismo omnívoro, lo genético y lo genital, la interacción entre todos los órdenes naturales. Neruda procura no interferir con cuidados formales sus pulsiones, trata de obligar al verbo a convertirse en registro fiel de una conciencia enajenada, frenética, que percibe la realidad como una superposición caótica de sensaciones, ideas y sentimientos desbocados, como una confusa e inabarcable plenitud en continuo cambio. Esta comunión turbada y tumultuosa con el universo, esta absorción intuitiva de la naturaleza en la plenitud de su energía, desarregla los sentidos, desborda todo ordenamiento abstracto, toda regularidad. Neruda nos transmite una percepción caótica pero muy concreta, corpórea, llena de materia cósmica, de lo terrestre visible, palpable, audible y comestible.

Desde *Veinte poemas para ser leídos en el tranvía* (1922) hasta *En la masmédula* (1954), a la par que va entrando en un vértigo anulador cada vez más radical y alucinante, la poesía de Oliverio Girondo inscribe un proceso de constante ahondamiento, de conmoción que se intensifica, de trastocamiento que se extrema. Su inventiva, su autonomía y su poder expresivos aumentan a medida que se despoja de las sujecciones realistas, de emulaciones, de estereotipos, de obediencia a lo estatuido e institucionalizado; aumentan a medida que se desola, que se queda a solas con su desesperación, con su desesperanza, con los huecos de lo que desaloja, con la resta de lo que reniega, con una vacancia que crece en muerte. El paulatino desamparo incrementa la apetencia sensual, la devoción vitalista, la euforia erótica, la exaltación naturalista. Pero nada mitiga la inevitable, la irreversible merma; salvo la palabra. El lenguaje será la última estación, la póstuma instancia operativa, el transformador de la extinción en energía perduradora. Paradójicamente, Girondo comunicará el anonadamiento, el avance de la inexistencia con un arrollador despliegue verbal, con una lengua cuya mutabilidad, cuya carga semántica, cuya sugestión, cuya creatividad parecen inagotables. Si la invención verbal. el despliegue léxico, la pericia retórica, la potente acumulación de imágenes dicen el vacío, el verbo se vuelve cada vez menos referencial, los vocablos establecen una interacción recíproca, urden una tesitura cada vez más abigarrada, más plurívoca, más irradiante, crean su propio campo de fuerzas, su propio magnetismo. La energía anonadante es revertida en reactivo lingüístico, el arrebato angustioso engendra un discurso explosivo, donde una imaginación indisolublemente consustanciada con el medio verbal impulsa el poema hacia su máxima fulguración.

Dentro de la evolución de la vanguardia hispanoamericana —también en el movimiento mundial— se suceden dos épocas que podríamos calificar como de exteriorización e interiorización, exocéntrica y egocéntrica, objetiva y subjetiva, exultante y angustiosa, afirmativa y nihilista. En la primera, expansiva e igualadora, se gesta y propaga un estilo internacional que aplica por doquier los mismos módulos formales a un material temático semejante. En todos los adeptos se da igual afán de contemporaneidad ostentosa, parecidas audacias metafóricas concebidas a menudo por asociación con elementos tecnológicos, idéntico montaje disonante de elocución telegráfica, sincopada, con eliminación de lo anecdótico o lo descriptivo, de los nexos intermediarios o de las transiciones graduales, equiparables efectos tipográficos, el mismo ahínco por la simultaneidad, la velocidad, la ubicuidad, equivalentes libertades de medio y de mensajes, figurativas e instrumentales, las mismas irreverencias, sorpresas y rupturas humorísticas. Lo que quería ser un movimiento perpetuamente transformable, una continua invención, un descubrimiento permanente de revelaciones inéditas, una constante novedad, tiende, a través de multiplicados copistas dispersos por el mundo, a la repetición, a la monotonía. La revolución se convierte en rotación sin traslación o en superficial catálogo de variaciones formales. La primera época, de iconoclasia, de extremismo modernólatra, de abusiva confianza en el progreso, de internacionalismo militante, de ingenio estridente, de imaginación autosuficiente, de abstracción formalista, de excesivo empeño en la libertad metafórica, produce, como toda tendencia, textos válidos, permanentes, e imitaciones prescindibles, peldaños y vanos, palabra viva y palabra muerta. Es esta vanguardia extrovertida, proselitista, estrepitosa y petulante la que va a aparecer como incidental, como superfluo trasplante de la moda metropolitana sin adaptación suficiente a las culturas locales y sin adecuada inserción social. Es esta vanguardia la que ha provocado la condena excomulgadora por la derecha y por la izquierda, en aras de la autoctonía, de la seriedad y de la utilidad. En el fondo se trata de la perpetua polémica entre arte regido por el principio de placer y por el principio de realidad, entre arte autónomo y arte servicial.

A la vanguardia exultante, que se prolongará a través de variantes tecnocráticas y formalistas, como la del movimiento concreto, sucede una segunda época (¿cómo fecharla?, la cronología es móvil y escurridiza) en que los desajustes, las disrritmias, las disrrupciones, se interiorizan intensificándose, en que la exaltación optimista frente a la sociedad industrial, a la cual nunca tuvimos completo acceso, se vuelve disfórica desolación, angustioso vacío existencial con la consiguiente carencia ontológica. *Trilce, Residencia en la tierra* y *Altazor* son a la vez configuraciones poéticas de experiencias abismales y reflejos de la marginación del escritor latinoamericano en sociedades o demasiado arcaicas o de un capitalismo grosero o en permanente crisis. Figuran una existencia sumergida en el abismo de la nada, la de un ser en soledad cada vez más absoluta e incompartible, sujeto a una doble carencia originaria que lo condiciona negativamente: la imposibilidad de hallar un principio de razón suficiente y la irreversibilidad de un tiempo signado por la merma. Las probabilidades de dotar de sentido positivo a su vivir le están vedadas; un trabajo que le permita mancomunarse productivamente con la comunidad o una adecuada inserción en la historia colectiva, en la historia con perspectiva de futuro. Carece de la posibilidad concreta de proyectar; carece de la posibilidad de trascendencia, de ese sentido teleológico capaz de infundir significación al presente discontinuo; carece de una dirección que pueda transformar su temporalidad en valor histórico, suprapersonal, que pueda convertir al ser individual en colectivo.

Huidobro resume por sí solo esta evolución del vanguardismo extrovertido al introvertido, desde su poesía ortodoxamente creacionista hasta *Poemas árticos*, desde la mundanidad de *Ecuatorial* hasta el atormentado maremagno, hasta los cortacircuitos y cataclismos de *Alta-*

zor. Si nadie puede desconocer que Huidobro provoca una renovación literaria en España e Hispanoamérica, si nadie niega su influencia en tanto transmisor y propagandista de la primera vanguardia, críticos e historiadores suelen maltratarlo y menoscabarlo. Su experimentación verbal, sus búsquedas formales parecen a muchos inofensivo jugueteo, las cabriolas de un poeta travieso y superficial. Su cosmopolitismo suele tomarse como exhibicionismo de hombre rico, encantado por las novedades de París; sus libros escritos en francés, como claudicación del americano que, deslumbrado por Europa, quiere ocultar su procedencia. Si los postulados y las prácticas vanguardistas cunden como una epidemia en las capitales latinoamericanas, esta difusión se debe sobre todo a la convergencia con la ideología eufórica del novomundismo, propiciada por la burguesía progresista que participa del mismo furor modernólatra. Huidobro va más lejos; propugna con Vallejo, la conjunción entre vanguardia estética y vanguardia política. Asume una actitud política de avanzada y es consecuente con ella. En 1925, funda el periódico *Acción* y es proclamado candidato a presidente de la república por la Federación de Estudiantes de Chile; en 1933, participa en las luchas del Frente Popular; interviene en la Guerra Civil española del lado republicano, luego combate en la Segunda Guerra Mundial contra el nazismo.

Si Vallejo interioriza como nadie la contemporaneidad en tanto nueva visión que conforma otra percepción y otra expresión del mundo, es a la par un paradigma de esa encrucijada de culturas en conflicto que se llama América Latina. El mestizaje cultural resulta tan inherente a su experiencia de vida como a su poesía. En ésta se da excepcionalmente el cruce y la cruza del espíritu nuevo preconizado por Apollinaire con lo indohispánico ancestral, fusión que Vallejo consuma afincándola en la matriz de la lengua coloquial y popular. Mancomunado con los desposeídos e identificado con la lucha proletaria, militará en el Partido Comunista sin concesiones estéticas, sin optar por la poética documental de la explicitud y el aplanamiento. Neruda, en cambio, convertido al optimismo militante, querrá renegar de su *Residencia en la tierra,* del ensimismamiento de una poesía oracular signada por el descenso hacia lo oscuramente entrañable, hacia lo preformal, hacia lo preverbal. Renegará de la visión desintegradora y de la angustiosa introspección para intentar una poesía de legibilidad popular, para escribir la saga de América, para reseñar su historia como enfrentamiento permanente entre opresores y libertadores, para reivindicar, ilustrar y coaligar a los oprimidos, para incitarlos a la definitiva conquista de la independencia. Vallejo muere con la caída de la República Española y Neruda muere con la caída de la Unidad Popular chilena.

Segunda vanguardia: la narrativa rompe con la legibilidad convencional

Tanto el modernismo como la primera vanguardia son movimientos de innovación poética. Huidobro intenta una aproximación entre el cine y la novela; propone un epos despojado de psicologismo; extrema la arbitrariedad de la ficción; incorpora la psicopatología freudiana; explora las zonas limítrofes de la conciencia. Pero, en conjunto, su obra narrativa es de calidad inferior a la poética. Los relatos de Borges corresponden a su conversión a un arte ecuménico regido más bien por los modelos clásicos. Borges narrador abandona la militancia ultraísta, a la que va a considerar desvío y desvarío juveniles. En la primera vanguardia hispanoamericana no hay una novela de la excelencia de *Macunaíma* de Mario de Andrade, líder del vanguardismo brasileño.

Entre la vastísima cohorte de novelas de testimonio y de protesta, entre las tantísimas taraceas de ese inmenso mosaico narrativo que se propone abarcar todos los hombres, todos los medios sociales y naturales de nuestra América, surgen *El señor Presidente* y *Hombres de maíz*, de Miguel Ángel Asturias, donde dos lacras de la realidad continental: la dictadura y la opresión del indio, son configuradas en su móvil y multívoca complejidad mediante nuevos modos y nuevos medios literarios. Asturias adopta la visión de los vencidos, percibe y representa la realidad desde la perspectiva de una mentalidad mítica, arquetipal, prelógica, ahistórica, acientífica, que conserva el vínculo primigenio con una naturaleza animada por fuerzas mágicas. Sujeta no a nuestro tiempo prospectivo e irreversible, sino a un acontecer retrospectivo que puede revertirse, todo lo que sucede lo remite a modelos primordiales que perpetúan la relación entre mito, rito, ritmo y ciclo. Desde el epicentro de una imaginación naturalizante, Asturias, culturalmente mestizo, conforma los recursos de la figuración novelesca, tanto la fábula como el discurso, para adaptarlos a los modos de concebir y de decir el mundo de sus personajes.

Nuestra narrativa, que estaba en grueso sujeta a los protocolos del novelar decimonónico, recupera su atraso, estruendosamente, con el advenimiento de un grupo excepcional de escritores: Julio Cortázar, Juan Rulfo, Gabrial García Márquez, Mario Vargas Llosa, Carlos Fuentes, Alejo Carpentier. Sus edades difieren; Cortázar y Carpentier tienen, en el momento de esta eclosión de los años sesenta, bastante obra publicada. Lo que parece una ofensiva simultánea es en gran parte producto de ese fenómeno editorial que conocemos con el nombre de «boom» latinoamericano. Se trata del exitoso ingreso de nuestros narradores en los circuitos internacionales de la edición a escala industrial. La narrativa latinoamericana rompe con estrépito publicitario el confinamiento que sufría.

Esta confluencia entabla una emulación renovadora, provoca una modernización técnica, aguijonea la inventiva e instiga a una productividad tan febril como avanzada. Produce un apartamiento del realismo literal, o sea lineal, prioritariamente fáctico, verista, documental. La nueva narrativa rompe con las retenciones o represiones del realismo anacrónico. El enfrentamiento entre viejo y nuevo realismo adquiere más nitidez cuando confrontamos la típica novela de las primeras décadas de este siglo con la actual. La novela del realismo social, presionada por la urgencia de una actualidad revulsiva, detonante, opta por la retórica de lo directo, por la poética de la inmediatez, explicitud y, por fin, aplanamiento. Quiere volverse vehículo colectivo de una evidencia que por indignante subleve. Reduce su escritura al estilo cero, considerando el arte verbal, el tratamiento estético de la palabra como factor de desvío y distorsión de un mensaje que se quiere de inteligibilidad popular. Opta por el relato documental donde la voluntad ideológica, la intención pedagógica ejercen una determinación que estabiliza los significados, que restringe las incertidumbres a un decir claro y unívoco. Es la pobreza de los significantes. El discurso se simplifica, se vuelve general, utilitario, monosémico, monódico. Reducido al mundo factible, regido por la necesidad que desaloja al placer, acata todas las restricciones de lo real empírico. No fabula, se cierne a lo édito, a lo previsible, a lo sólito, a lo exotérico; se quiere literal, denotativo, concreto, usual, transparente, destinado ante todo a comunicar hechos verificables, extratextuales, con el mínimo de configuración, de expresividad, de escapadas fantasiosas, de perturbaciones subjetivas o formales.

El otro realismo se desembaraza de las limitaciones de la reproducción decimonónica. Sin idealización, sin sublimación, sin afán ni enaltecedor ni armonizador (es decir, desrealizantes) propone también una constancia veraz de una experiencia del mundo. Pero no es apodíctica, esquemática, concluyente. No subordina lo literario a lo literal, no restringe su libertad de asociación o su capacidad de expresión en aras de la estrategia educativa. Ni ejemplifica ni catequiza. Su visión corresponde a una gnoseología actual; está presidida por la idea de relatividad, discontinuidad, inestabilidad, simultaneidad, heterogeneidad, fragmentación. Este realismo es móvil y mudable como la realidad misma, está nutrido, está activado por ella a través de un intercambio tan dinámico como dúctil y como sutil. No se estereotipa en módulos rígidos; no responde a una normativa canónica. No es una constante formal sujeta a modelos arquetípicos; no es un decálogo sino una vivaz relación de conocimiento con la realidad; de ella extrae su bullente mutabilidad. No renuncia ni a la fabulación ni a la fantasmagoría. Practica la máxima apertura del continente novelesco para convertirlo en una fluencia pululante, activada por la multiplicidad de discursos, por la dirección cambiante, por la movilidad lingüística, por la labilidad anecdótica. Propicia la interpenetración de los géneros, que implica sobre todo la asimilación de los recursos poéticos: los raptos elegíacos, las amplificaciones súbitas, la saturación y la radicalización metafóricas, la libertad de asociación, el tratamiento fónico y rítmico, la inventiva neológica, los efectos tipográficos, la compaginación ideográfica. Emplea el collage, una técnica de mosaico, simultaneísta, capaz de ensamblar los componentes más disímiles. El principio estructurador del texto es la mixtura de narradores, mixtura de tiempos y de espacios, mixtura de enfoques y de niveles.

Esta novela se sabe ante todo maquinación verbal, artilugio fictivo, objeto estético. Incrementa los valores específicos de la ficción literaria. Asumiendo su condición de dispositivo retórico, está dispuesta a aprovechar de todas las libertades operativas. Se reconoce como artificio ligado a una determinada competencia técnica. No busca naturalizarse, cultiva el virtuosismo, la parodia y el pastiche. Gusta romper la ilusión escénica para revelar sus mecanismos. Se vuelve a menudo metanarrativa; el narrador se entromete en la fábula para explicitar sus opciones instrumentales y para teorizar sobre el arte del relato. Sin duda *Rayuela* de Julio Cortázar es el vademécum obligado de la nueva novela, su representante más cabal.

Quizá sea cierto que la nueva novela apareció al comienzo, por sus aspiraciones retóricas, como formalista y tecnocrática. Sin duda que, por sus sofisticados procedimientos y por su ardua legibilidad, apuntaba sobre todo al público letrado. También pueden considerarse excesivas sus ambiciones de liberadora mental y de precursora de las grandes liberaciones colectivas. Coincidente con un florecimiento de la industria del libro y con una situación política favorable que le posibilitó una verdadera difusión continental, contribuyó, por su capacidad de interpretación y de representación de nuestras realidades, a comprenderlas íntimamente. Multívoca y polifónica, conllevando múltiples ideologías en conflicto, ayuda a desbaratar y a superar las codificaciones anacrónicas o las lecturas esquemáticas, demasiado fijadas en pautas que el constante revolvimiento latinoamericano desquicia, o en sistemas cerrados o reductivos, incapaces de adaptarse a la compleja y cambiante disparidad de nuestro mundo.

Después de la revolución cubana, la explosión de simultáneos movimientos liberadores en América Latina produjo una represión extremadamente sanguinaria y la instauración de nuevas dictaduras militares. Es evidente que el sojuzgamiento impuesto por gobiernos punitivos y censorios, dispuestos a monopolizar el uso de la palabra, modifica el papel social de aquella vanguardia que desea mantener el vínculo con los avatares históricos de la comunidad. La censura castrense impone el régimen del sentido único, instaura en la expresión el imperio de la norma estatal, la legisla impositivamente mediante un código restringido que impide y castiga el desacato al discurso sancionado por la fuerza del fusil. Ejerce el control policíaco de la palabra insumisa, contraventora de la regresiva sin razón que se pretende razón de estado. La libertad de palabra se vuelve acto delictuoso. Esgrimir una palabra autónoma es atentar contra la seguridad de estado. Descodificar la lengua consentida, desautomatizarla, volver heterogénea y lábil su previsible monotonía, será considerado como acto penable. Rescatar la información ocultada o suprimida, descongelar el bloque de la ideología totalitaria, restituir al pensamiento su proteica pluralidad y al lenguaje su poder generador, constituirán transgresiones intolerables. Para esos mandatarios de la muerte la oposición por la palabra se vuelve oposición armada.

El sujeto transversal o la subjetividad caleidoscópica

Los modernistas inscriben en anchura y en profundidad el máximo despliegue psicológico. Ellos representan sobre la escena textual una visión de la subjetividad que se parece ya a la nuestra. La clarividencia armónica del régimen diurno que concierta en las jubilaciones del discurso de arriba la deseada consonancia entre el lenguaje, el mundo interior y el mundo exterior, es descendida y escindida por la potencia oscura del fondo sin rostro, por el galimatías de la profundidad corporal, por el confuso ruido de las mezclas entrañables que no se dejan ni asignar ni designar.

Aunque asimilado todavía a la pugna teológica entre la catedral y las ruinas paganas, donde las vibraciones nerviosas, las «mil visiones de fornicaciones», «tantas acedias melancólicas» como «el palpitar de la carne maligna» son maleficios de belcebúes y satanes (véase *La cartuja* [937]),* Darío hace emerger a la superficie del poema la descarga pulsional del inconsciente que va a disociar el mensaje y comienza a dislocar la expresión. Cuando la sublimación, concitando las espléndidas síntesis del vitalismo panteísta, conjura el desenfreno psíquico en gozo armonizador, la presión libidinal atraviesa el escrito y lo somatiza, lo alitera y lo ritma para resonar por la articulación bucal, vocal y por las intensidades tónicas. Cuando el poema se propone registrar el «terremoto mental», la crisis de una conciencia abismada por la disparidad entre ser y conocer, por la desproporción entre su desquiciamiento y el ínfimo saber que tiene de sí misma, se disipa esa ilusión del

* Los números entre paréntesis indican la página de Rubén Darío, *Poesías completas*, Madrid, Aguilar, 1954.

lenguaje, su razón, la de ser portavoz de un yo responsable, dotado de identidad personal y asentado sobre la integridad de un cuerpo. Entonces el texto, presa del tironeo entre deseo, angustia, frustración, culpa, devela la discontinuidad del sujeto, del cuerpo, del lenguaje, del mundo.

Por retirada del Supremo Aparejador, el yo que se divide y el cuerpo que se desmembra desbaratan el equilibrio de la atribución de los significados y su distribución en las series lineales. El lenguaje no puede expresar sino intensidades, mostraciones, consumos, destrucciones. El texto, de Darío a Vallejo, reflotará en lugar del sujeto constituido un sujeto en pleno proceso que lo engendra o lo disuelve, no un sujeto presupuesto (puntual) en conexión con una realidad preconcebida sino un sujeto genético (impuntual) que promueve la figuración de otras relaciones entre el consciente, el inconsciente, los objetos naturales y los aparatos sociales. La subjetividad rebelde, abatiendo sus bloqueos, representará una transversalidad negativa que descompondrá y recompondrá el dispositivo poético instaurado para manifestar su capacidad de transformación: ruptura, movilidad, labilidad, ubicuidad, simultaneidad. Desarticulará la organización del texto basada en ese consenso considerado natural que prejuzga que el lenguaje debe enunciar la afectación corriente de sujetos y objetos. La desmantelará para descodificar el lenguaje, incluso al riesgo de amenazar su funcionamiento social por exceso de significantes erráticos, para desautomatizarlo, para reintroducirle la pluralidad pulsional, la materia impaciente, la carga corpórea de las heterogeneidades.

Darío consigna una alternancia inconciliable entre el superego del vitalismo eufórico y el infraego, taciturno y tanático. El deseo fabula su colmo: el gozo de un omnipotente ego narcisista; se solaza en identificarlo con el dominador solar (Apolo, Helios, Perseo, Pegaso), con la virilidad monárquica, con el fogoso, el sagital, el héroe compulsivo, con la violencia ofensiva del atravesador que ciñe y rompe, con la hèliolatría triunfante:

¡Oh rüido divino!
¡Oh rüido sonoro!
Lanzó la alondra matinal el trino,
y sobre ese preludio cristalino,
los caballos de oro

de que el Hiperionida
lleva la rienda asida,
al trotar forman música armoniosa,
un argentino trueno,
y en el azul sereno
con sus cascos de fuego dejan huellas de rosa.
Adelante, ¡oh cochero
celeste!, sobre Osa
y Pelion, sobre Titania viva.
Atrás se queda el trémulo matutino lucero,
y el universo el verso de su música activa.

(Helios)

Virilidad erecta, verticalidad ascendente se oponen en Darío a la tenebrosa caída. Esta sexualidad al asalto, voluntariosa, expansiva, conquistadora contrasta con la regresiva, la del repliegue en la húmeda, en la mórbida intimidad femenina; gigantismo deslumbrante contra gulliverización opaca, recogimiento diminutivo, ensimismamiento, enroscamiento fetal. Contra la apoteosis de un superego demiúrgico, dotado de infinita potestad, la miseria de una finitud confusa que desbarata y mutila, que afantasma y enfanga:

El alma que ha olvidado la admiración, que sufre
en la melancolía agria, olorosa a azufre,
de envidiar malamente y duramente, anida
en un nido de topos. Es manca. Está tullida.
¡Oh, miseria de toda lucha por lo finito!

(¡Oh, miseria de toda lucha por lo finito!)

Infinito sinfónico contra finito disfónico o afónico.

La poesía de exaltación vital, del «vasto orgullo viril» o del «odor di femina» se inspira en una cosmogonía erótica. El hombre y la mujer en la cúpula amorosa encarnan el principio del dinamismo armónico del universo, aquel que equipara fecundidad humana con fecundidad telúrica, fecundidad natural con fecundidad artística. Sexualidad y arte están igualmente ligadas a los ritmos corporales, son concomitantes de todos los ritmos cíclicos de la naturaleza. Amor y arte, alumbradores, nos vuelven partícipes del «mágico ritmo» de la música cósmica, nos permiten penetrar «el misterio/ del corazón del mundo». Por la amada se accede al «gozo que enciende las entrañas del mundo», al «útero eterno» de donde dimana toda creación, a la suprema sabiduría, la de la total concordancia con el cosmos.

Esta coincidencia concertante se inscribe a través de una poesía eufónica, eufórica, unitiva, armoniosa donde significantes y significados concurren a concitar la homología homófona o la homofonía homóloga que rigen el poema, análogo jubiloso del eurítmico universo. Celebración, triunfo, todo es comunión comunicante, circulación fluida, irrestricta sincronía. La pulsión sexual, transfigurada por su mítica simbiosis con la sacralidad telúrica, halla su máxima expansión; glorificada, amplifica su teatro a escala cósmica. Semantizados los significantes y somatizados los significados, la epifanía erótica erotiza los sonidos, devuelve el lenguaje a su base de articulación bucal —«roce, mordisco o beso»—, al placer oral y glótico. El placer opera una redistribución del lenguaje para musicalizarlo, lo regresa a las bases pulsionales de la fonación. Sintaxis y prosodia son subordinadas a la pujanza aliterante que traza su circuito atravesando las restricciones logométricas, las delimitaciones léxicas y la alineación sintagmática. La fonación relega su papel servil de diferenciadora morfosintáctica, borra los rasgos distintivos, disuelve las identidades en un ímpetu coral que devuelve la palabra a un semantismo primigenio, anterior a la representación simbólica, anterior al corte tético que divide pulsión y signo, significante y significado. Hace resurgir el ritmo quinésico que, inmanente al funcionamiento del lenguaje, precede a la estructura que articula las series gramaticales. La coalición sonora concita nuevas unidades semánticas no frásticas. Los fonemas semantizados tienden a constituir sus propias redes constelando a los lexemas que los incluyen. Esta simpatía sonora, pregramatical, restablece potencialidades pulsionales reprimidas por la preceptiva prosódica y la normativa lingüística; explaya un impulso unificador en contrapunto con la disposición tético-simbólica. Con la irrupción de los ritmos fónicos primarios, Darío desencadena un proceso de relajamiento de la lengua que culminará en los cantos VI y VII de *Altazor*, donde las posibilidades aliterantes están llevadas al extremo de abolir toda oposición. Los significantes musicalmente semantizados impondrán otra fonación que la de la elocusión normal, utilitaria. Así, el destinador será el sujeto concreto que consigna directamente su propia subjetividad. Las palabras abandonan el orden del lenguaje para materializar la inscripción de un cuerpo real.

Contrapuesta con esta jubilación festiva, con esta mímesis perfectiva, con esta sublimación concertante de un superego omnívoro, el del poeta pantocrátor, está su antípoda, la de un alter ego inconciliable, insondable: el inconsciente perturbador, que desasosiega y disocia, que disloca las relaciones y la comunicación. A la par que concertador de ese discurso de arriba que todo lo integra a través de la distribución armónica, Darío es también el desconcertador que registra el aflujo de las fuerzas oscuras, las del fondo imperioso y confuso que pugna por romper las represas de la conciencia emitiendo señales dispersas, erráticas, una turbamulta de significantes refractarios al significado y que el lenguaje, agente del orden censorio, no puede fijar, no puede alinear, no puede formular.

En *Cantos de vida y esperanza,* el sujeto constituido por la conciencia a través de una interacción reglada entre cuerpo, lenguaje y sociedad no consigue ya o no quiere contener el estallido de una subjetividad que desborda el discernimiento y sobrepasa los límites ideológicos de la racionalidad, que perturba la conducta lingüística porque no se deja distribuir en las series lineales, no se deja representar. El ego narcisista cuya implantación asegura el dominio cohesivo, poder concatenar las estructuras reales con las oníricas y las simbólicas en síntesis trascendentales, se ve amenazado por descargas energéticas rebeldes que lo descomponen, lo disgregan. Aflujos psicosomáticos dispares empujan en múltiples direcciones, pugnan por desgarrar la textura, la textualidad del continuo consciente, por desbaratar las disposiciones del entendimiento lógico y categorial. La irrupción discordante de un colmo de heterogeneidad que puja, pulsátil, pulsional, no permite ni asignación ni designación. Se apaga el fulgor de la psique abolida (755), la conciencia enceguece y la introspección se vuelve andar sin rumbo y a tientas. La *Divina Psiquis,* presa del ser nervioso y el cuerpo sensible, se ve como mariposa amurallada:

> Te asomas por mis ojos a la luz de la tierra
> y prisionera vives en mí de extraño dueño:
> te reducen a esclava mis sentidos en guerra
> y apenas vagas libre por el jardín del sueño.

Estos empujes desestructurantes no admiten ser apropiados, dirigidos, modelados por el sujeto del conocimiento. Indóciles, son refractarios a la separación tética entre sujeto y objeto que los convierte en significables. Esta subjetividad profunda no quiere retirarse a la posición del sujeto simbólico o sujeto sintáctico, a la ausencia, a la abstracción de lo somático que permitiría su denotación como signo. Impone un descenso por debajo del orden simbólico, hacia la base preverbal, hacia el núcleo íntimo, hacia el lugar oculto donde se engendra el sujeto y se genera la significancia: «y más allá de todas las vulgares conciencias/exploras los recodos más terribles y oscuros» (752).

La representación se introvierte, trata de retrotraerse allende o aquende la frontera simbólica, hacia los «íntimos sentidos». Intenta instalarse en el «abismo que separa», en el inconsciente, reactor hermético que produce la destructiva irrupción. Allí, el sujeto se excentra y la identidad psicológica, ilusión del ego ideal, se disipa: «¡Ay, triste del que un día en su esfinge interior/ pone los ojos e interroga! Está perdido» (761).

Es difícil deslindar cuánto hay en el psicologismo de Darío de ideológico y cuánto de existencial. Estimulado por las preocupaciones de la época, tanto por la literatura clínica como por la artística, sobre todo en el París de Janet y de Charcot, que lo compulsa a exprimir su «urbe cerebral»:

> Y me volví a París. Me volví al enemigo
> terrible, centro de la neurosis, ombligo
> de la locura, foco de todo *surmenage,*
> donde hago buenamente mi papel de *sauvage*
> encerrado en mi celda de la *rue Marivaux.*
>
> *(Epístola a la Señora de Leopoldo Lugones)*

Darío marca discursivamente las emergencias del fondo inconsciente. El poema «auto-pieza de disección espiritual», es la ficción veraz que intenta develar lo velado. Escribiendo las perturbaciones de la subjetividad, el poema pretende figurar el inconsciente transferido a la letra (inconsciente letrado). Cardiograma, encefalograma, el poema dice lo psicótico: delirios, manías, alucinaciones, obsesiones, fobias, neurosis. Explaya los estados mórbidos, las angustias desorganizadoras, el dislocamiento provocado por una espontaneidad descontrolada, el desvarío fantasmal, las alteraciones de los lazos objetuales, el irreprimible autismo que repliega al «auto-Hamlet» sobre sí y lo avasalla al cohabitante insondable.

Nada mejor que el primer *Nocturno* para patentizar cómo se borra el yo narcisista que hasta *Prosas profanas* permitía constituir un resistente epicentro elocutivo. Ahora, la disyunción, la discordancia, la incertidumbre operan sus desplazamientos, su desarme tanto en la representación como en el soporte. Presidido, como muchos otros poemas de *Cantos de vida y esperanza* que desdicen este título optimista, por la pulsión de muerte, atestigua un proceso que excede al sujeto y que comienza a subvertir las prácticas socialmente instaladas. Da cuenta de un exceso negativo, móvil, amorfo, que el yo reflexivo no atina a separar, a identificar, a simbolizar. Disrupción, discrepancia, escisión, entropía rechazan las significaciones establecidas, los módulos del sentido categorial; provocan una inadecuación entre significantes y significados que descoloca y desperdiga al sujeto unitario de la lengua lineal, que remueve, atraviesa y desajusta el dispositivo textual:

Quiero expresar mi angustia en versos que abolida
dirán mi juventud de rosas y de ensueños,
y la desfloración amarga de mi vida
por un vasto dolor y cuidados pequeños.

Y el viaje a un vago Oriente por entrevistos barcos,
y el grano de oraciones que floreció en blasfemias,
y los azoramientos del cisne entre los charcos
y el falso azul nocturno de inquerida bohemia.

Lejano clavicordio que en silencio y olvido
no diste nunca al sueño la sublime sonata,
huérfano esquife, árbol insigne, obscuro nido
que suavizó la noche de dulzura de plata...

Esperanza olorosa a hierbas frescas, trino
del ruiseñor primaveral y matinal,
azucena tronchada por un fatal destino,
rebusca de la dicha, persecución del mal...

El ánfora funesta del divino veneno
que ha de hacer por la vida la tortura interior;
la conciencia espantable de nuestro humano cieno
y el horror de sentirse pasajero, el horror

de ir a tientas, en intermitentes espantos,
hacia lo inevitable desconocido, y la
pesadilla brutal de este dormir de llantos
¡de la cual no hay más que Ella que nos despertará!

Este *Nocturno*, a la par que invalida los poderes miméticos y sublimantes de la poética de la ensoñación integradora, la del unísono con «la música del mundo», expresa «la desfloración amarga», la caída del idílico orden de las cosas (flor es superlativo, modelo de la plenitud manifiesta, arquetipo de la naturaleza edénica, centro beatífico) al espantoso cieno (regresión al mundo de abajo, al caos primigenio, a lo preformal), caída de ensueño a pesadilla, de la luz/lucidez a la tiniebla/obnubilia. El poema arranca con una determinación afirmativa cuya vectorialidad dura poco. Ya a partir de la segunda estrofa la concatenación se relaja, el desarrollo se vuelve una parataxis de construcciones nominales, hasta que la cuarta estrofa no es sino colección enumerativa sin nexos de relación explícita. Me atrae e interesa la tercera por la laxitud/lasitud de su entramado, por lo fantasmático de sus imágenes, por su libertad de asociación, por su poder reverberante, por sus sentidos virtuales, nómadas, por su capacidad resonadora, por los ecos que suscita, por sus latencias:

Lejano clavicordio que en silencio y olvido
no diste nunca al sueño la sublime sonata,
huérfano esquife, árbol insigne, obscuro nido
que suavizó la noche de dulzura de plata...

Por ella se entra en el tiempo suspensivo, en la difusión gaseosa, en la sordina onírica que cancela las discriminaciones del consciente discursivo. El transporte, el vuelo de la música que arroba, apagándose, desciende y se trasmuta en navegación nocturna por el mar interior, luego en reposado repliegue en protectora regresión. La imposibilidad de recobrar la unidad por la quimera del poder imperial («y yo, fuerte, he subido donde Pegaso pudo») o por elevación angélica («esa alma es la que al fondo del infinito vuela») impulsa al sujeto dividido («mientras el pobre esquife en la noche cerrada/va en las hostiles olas huérfano de la aurora...» [741]) a regresar ab ovo, al retorno imaginario al cuerpo de la madre, a la reunión inmemorial y acuática. «Huérfano esquife», bote sin barco, rememora la cuna (canasto de Moisés); arca viajera, caparazón que cobija, arcano, reconduce a la intimidad materna. Conductor de ensoñación a la deriva, insular y claustral, se feminiza, como toda casa, hasta promover un enroscamiento fetal en el «obscuro nido/que suavizó la noche de dulzura de plata». Imagen ésta de recogimiento intrauterino, eufemiza el vientre maternal, simboliza la vuelta apaciguadora a la indiferenciación del comienzo. La onda maternal porta, acuna y adormece en la blanda molicie de la noche mujer. Retroceso del gigante narcisista hacia el homúnculo, al microuniverso germinal, regreso al útero. La Gran Madre, la luna lactífera que suaviza «de dulzura de plata», concita un reintegro reparador.

«Huérfano esquife, insigne árbol, obscuro nido», núcleos de irradiación multívoca, haces relacionales, polarizadores de imágenes, condensadores simbólicos, maderos flotantes en un curso fantasmático donde se desanudan los enlaces de la causalidad externa: emergencias alucinatorias del deseo.

A medida que el *Nocturno* desciende del sueño purificador y catártico a la «pesadilla brutal de este dormir de llantos», a medida que baja de las taumaturgias del espléndido placer a la «inconsútil tela», a los «opacos cristales», a la noche cerrada de la muerte, se va desajustando el módulo prosódico. Por imperio del clímax tanático, la pujanza desarticuladora de la pulsión de muerte puja por desquiciar los retenes logométricos. En la última estrofa, la cesura y el corte versal contravienen a tal extremo la distribución sintáctica que provocan hemistiquios muy indecisos, por debilitamiento de la cesura, y anomalías como la rima de los pares: la/despertará.

Transida, traspasada por la subjetividad errática, la lengua deja de funcionar como economía claramente articulada por las posiciones que marcan los pronombres. Esta subjetividad escapa a los detenimientos pronominales. El sujeto pulsional se escurre; fluyente, fluctuante, perturba el dominio lógico-simbólico, trastorna el dispositivo discursivo. Desacomoda la identificación distributiva del yo/tú/él. Multiforme, multivalente, el sujeto quiere ocupar todas las instancias de la locución. Subjetividad caleidoscópica, traslaticia, más que en los puestos de la localización pronominal, reside en las brechas, pasajes, transiciones. El sujeto de la enunciación, ya no punto sino polución, se multiplica a través de todo el circuito. Los fantasmas prorrumpen para contravenir la enunciación normativa, para instalar el conflicto en la propia entidad del sujeto gramatical. El sujeto escindido es transversal al *Nocturno*. El único pronombre personal, Ella, reforzado por la mayúscula mayestática, representa a la única identidad neta, a la preponderante: la muerte. La pérdida de unanimidad primigenia sólo se remedia imaginariamente por reintegro al cuerpo de la madre o por pasaje al mundo inanimado, como estado fetal o letal.

Con Darío el conflicto divisorio del ego, la excentración que descoloca y desdobla al sujeto, comienza a posesionarse del poema produciendo disyunciones, desplazamientos y permutaciones. Conciencia cuarteada tanto en Darío:

> Cuatro horizontes de abismo
> tiene mi razonameinto,
> y el horizonte que más siento
> es el que siento en mí mismo.
>
> *(«Sum»)*

como en Vallejo:

> ¡Cuatro conciencias
> simultáneas enrédanse en la mía!
> ¡Si viérais cómo ese movimiento
> apenas cabe ahora en mi conciencia!
>
> *(¡Cuatro conciencias...)*

A partir de Darío, el sujeto palpitante, opaco, del revoltijo corporal, el sujeto carnal se enfrentará con el impasible, transparente y vacío sujeto gramatical para movilizarlo, afantasmarlo, diversificarlo, rebajarlo, retornarlo a la base somática. El poema provocará por fin el desbarajuste del discurso normativo para hacer estallar el sujeto unitario y lineal, el sujeto convencional, para transgredir sus represiones, contravenir sus censuras, o sea para abolir sus límites ideológicos. El proceso, reactivado por la «Psicologación morbo-panteísta» de Herrera y Reissig, reventará con la revulsiva revuelta de Vallejo.

El poema aparecerá como límite de la experiencia comunicable. No el enunciado de un sujeto establecido, propio, conforme, sino la destitución del locutor unitario instalado en un supuesto continuo lingüístico, extensión de la ilusoria continuidad de lo real. El poema se abrirá a las acometidas del otro, del sujeto plural, dispar, inconstante, sujeto de la espesura mental y del espesor visceral que pugna por reintroducir en la sucesión sintagmática sus destiempos y sus desespacios, sus simultaneidades, sus ubicuidades, sus intensidades y densidades cambiantes, su movilidad relacional.

Una lengua llamando sus adentros

Vicente Huidobro ha ejercido como nadie las libertades inherentes a la escritura poética—libertad de dirección, de extensión, de asociación, de composición, de referencia, que están virtualmente a disposición de todo poeta. Para poner en práctica tal albedrío necesitó abolir todas las restricciones empíricas, retóricas e imaginativas que coartaban la autonomía del poema. Semejante trastocamiento de la preceptiva literaria, tamaña remoción del lenguaje, tan grande ampliación de lo decible y por ende de lo concebible provocan no sólo un corte radical en el plano de lo estético, también un corte de orden mental: prefiguran otra conciencia, una nueva concepción del mundo, otros modos de percibirlo, de idearlo, de representarlo. Este libre arbitrio posibilitado por las prédicas y las prácticas vanguardistas llega a explayarse (a proferirse) plenamente en *Altazor*. Allí se procede, por un proceso de transposición metafórica llevado al extremo, a desmantelar en todas sus instancias la lengua sujeta al orden objetivo y a la razón de uso para que la palabra manifieste sus potencialidades reprimidas, recobre su plenitud.

Huidobro proclama, desde *Pasando y pasando* (1914), su afán de novedad, su rebelión contra la rutina y el cliché, contra la estética de biblioteca y de museo. Privilegia al poeta detector de relaciones insólitas; admira la majestad de la maquinaria moderna; se siente locomotora literaria; ama el vértigo que dan cumbres y abismos; aspira a versos que resbalen como la sombra de un pájaro sobre el agua. Auspicia el arte de la sugestión, del atajo, arte elusivo y alusivo que elimina los nexos explícitos, la anécdota y la descripción; busca un fraseo ondulante con repentes sorpresivos, una poesía de horizonte abierto. Todavía se muestra receloso frente a la agresiva modernolatría futurista, pero coincide con Marinetti en augurar una revolución renovadora, en la defensa del verso libre. Intenta aplicarlo en *Adán* (1916), donde recrea el modelo mítico de la cosmogonía desde la nebulosa primigenia hasta el engendramiento del primer hombre y de la mujer paradisíaca, padres de la progenie humana. Poseedor de la palabra primordial, Adán bautiza al universo recién nacido: es el primer poeta creacionista. Para contrarrestar la monótona fijeza de las matrices tradicionales, Huidobro opta por una orquestación no sujeta a cómputo métrico, «*sin compás machacante de organillo*», por un ritmo interior, orgánico, sujeto no a constantes acentuales sino al impulso de una visión englobante.

Ya por entonces menosprecia la «*manicura de la lengua*», la «*poesía poética de poético poeta*», aquella que cincela sin crear algo radicalmente nuevo, la que imita a la naturaleza en sus manifestaciones externas, no en su poder exteriorizador. A partir de la encrucijada modernista, donde están prefiguradas las directrices de la vanguardia, Huidobro comienza a urdir su poética creacionista. La primera exposición teórica está en el manifiesto *Non serviam* (*No serviré*) y su primera aplicación, todavía tímida, en *El espejo de agua*; ambos datan de alrededor de 1916. La poesía, acceso a todos los misterios, es capaz de trascender las antinomias, de alcanzar un más allá donde desaparecen los compartimentos en que se escinde el mundo empírico. El poeta percibe los signos ocultos, los parentescos recónditos que coaligan las cosas más lejanas; oye los llamados de las cosas a las palabras. Sus imágenes son broches deslumbrantes, revelan identidades inéditas. El poeta las inventa estableciendo convergencias de tiempos y espacios paralelos para crear un hecho nuevo. Los poemas creados existen sólo textualmente (son evidencias no verificables), pero poseen su propia entidad como cualquier objeto externo. El poeta es un demiurgo que plasma una realidad independiente. Tal es la plataforma de lanzamiento de Huidobro durante su trayectoria creacionista, órbita ascendente que va de *El espejo de agua* hasta *Altazor*.

El espejo de agua se compone de ocho poemas que luego, vertidos al francés y activados por efectos ideográficos, se incorporan a *Horizon carré*. Hay todavía un desajuste entre el proyecto que el primer poema —*Arte poética*— enuncia epigramáticamente, entre la empresa

«Que el verso sea como una llave / Que abra mil puertas» o el emblema *«Cuanto miren los ojos creado sea»* y su efectuación en los siete restantes. Los desacatos son discretos y en ningún nivel aparecen rupturas muy marcadas. Huidobro acentúa la sensibilidad impresionista, promueve un ablandamiento, una fluencia, una volatilidad que vuelve vacilantes los contornos y difusos los cuerpos. Todo fluctúa, todo vibra, todo emite signos en busca de sutiles acordes. El mundo deviene una inmensa cámara de llamados, de ecos: mundo en expansión, mundo penetrable. Abolida toda separación, la imaginación circula por él sin restricciones para establecer correspondencias inusitadas. La sucesión y la distinción quedan invalidadas por un simultaneísmo sensual que se deleita en el apunte de estímulos evanescentes donde lo indeciso colinda con lo indecible.

La columna versal comienza a relajarse: no hay isometría ni principio fijo de organización numérica. Con versos y estrofas cambiantes, con líneas esparcidas o palabras aisladas, en suspensión aérea, ingrávidas, insonorizadas, es tan laxa la compaginación como la andadura rítmica. En *El espejo de agua* cristaliza formalmente una visión que es constitutiva de la poesía de Huidobro: la pura mostración de estelas de imágenes aleves y en sordina, vertidas en una yuxtaposición sin entramado, sin énfasis, desgravadas de carnadura verbal, evasivas, sin ahínco en el detalle singularizador, como flotando en una deriva onírica. Dejándose llevar por la corriente de una fantasía desembarazada de represiones realistas, Huidobro practica una libertad de asociación hasta entonces no alcanzada por la poesía en lengua castellana.

Durante el período vanguardista, esta visión móvil, lábil, esta nebulosa fusión de forma y forma, exenta de lo neto y de lo nítido, la misma acuidad que se desapega de los sólidos estáticos, la misma ensoñación que se desobjetiva para flotar o volar volublemente se inficiona de signos ostensibles de modernidad. Las marcas vanguardistas cunden en la prolífica producción del bienio 1917/1918, cuando Huidobro se instala en París en estrecho contacto con los inventores del arte moderno (con escritores como Apollinaire, Max Jacob, Pierre Reverdy, Tristán Tzara, André Breton; con pintores y escultores como Picasso, Gris, Arp, Lipschitz, Delaunay), época de interacción militante con los grupos de avanzada estética, sobre todo con cubistas y dadaístas.

Aparecen entonces *Horizon carré, Tour Eiffel, Hallali, Ecuatorial* y *Poemas Árticos*. Como Apollinaire, modelo de realizaciones vanguardistas, Huidobro va a aliar (o alear) lo mecánico con lo mediúmnico. La fantasía alígera, la delicuescencia ensoñadora, la irradiación simbólica difunden su aura hasta penetrar en el ámbito excitante, sincopado, de la urbe babélica, en el enjambre electrificado, en el espacio metropolitano de la agitación masiva y de las vertiginosas locomociones, en el orbe que los paquebotes y los trenes expreso han vuelto planetario, en el aire recorrido por las máquinas volantes y poblado de palabras transmitidas por la radiotelegrafía.

Huidobro adapta su poesía, sus recursos de representación a esas aleatorias superposiciones de sensaciones heterogéneas y fugaces que son ahora el mundo, constantemente modificado por el avance tecnológico, por la cultura del consumo, por la continua mudanza del hábitat y del paisaje urbanos, por la incesante sustitución de productos manufacturados. La percepción, antes sujeta a puntos de referencia estables, se torna cambiante, veloz, ubicua, simultánea. Todo se vuelve tránsito, inacabamiento, transcurso, fragmentaria diversidad. Para figurar esa agitación plenaria, ese torbellino de instantáneas coexistencias de lo disímil en movilidad y mutación perpetuas se necesita un arte multifocal, multidimensional, multidireccional, tan multívoco como la realidad que se busca simbolizar. Para representar lo discontinuo y fragmentario entreverándose en simultaneidades intensas, Huidobro adopta un montaje cinemático con permanente cambio de foco y marco, de punto de mira y de encuadre. La poesía se vuelve arte de los destiempos y de los desespacios. Así como los pintores buscan infundir al espacio el dinamismo temporal, la temporalidad poética se lanza a la conquista del espacio gráfico: Huidobro rompe con los alineamientos discursivos, utiliza variantes tipográficas, las palabras se escalonan, se yerguen, se inclinan, se juntan o desperdigan en una escritura estallada, galáctica, que ocupa por completo la página. La lectura se diversifica, el poema propone a la vez una organización de gramas verbales y visuales. El espacio pasa de mero soporte a medio expresivo. Adepto a la estética de la disonancia, Huidobro adopta la técnica de los contrastes simultáneos, la del afiche y del collage, ese mosaico de fragmentos de la más diversa procedencia que se contraponen sin perder su alteridad.

Paradigma del siglo mecánico, *Ecuatorial* es la realización más lograda de este período de furor y fervor vanguardista. Todas las marcas de modernidad están aquí inscriptas explícita e implícitamente: novedades tecnológicas, actualidad mundial, swing y nervio ciudadanos, movilidad y variabilidad máximas, apropiación simultaneísta de toda la geografía terrestre, supresión de la puntuación, versolibrismo, dinamismo gráfico, altibajos tempoespaciales, libertad estructural, visión caleidoscópica, irrupciones sorpresivas, trastocamientos humorísticos, transfiguraciones metafóricas que restablecen el primado de la fantasía sobre las determinaciones realistas.

Huidobro consigna la extinción del mundo crepuscular, del humanismo tradicional (antropocéntrico, geocéntrico, teocéntrico), destruido en su fundamento por la revolución tecnológica y por una guerra que anuncia, catastróficamente, el nacimiento del siglo mecánico. Entre *Ecuatorial* y *Altazor* se acentúa el pasaje de la visión estable, probable, redundante a la mudable, aleatoria, sorpresiva, se lee la entrada en un historicismo ligado a la noción de cambio, crisis y colapso. El poema se instala en la discontinuidad y la fragmentación generalizadas. Caducos los principios de organización coherente, presenta una imagen desesperadamente desmembrada. Perdida la norma, el norte, el centro, está sujeto a una aceleración contradictoria, se sume en el informe universo de la contingencia. La ampliación desordenada del campo perceptivo, el disloque de las relaciones entre mente y mundo, los desarreglos íntimos, la precariedad de la existencia ligada a un tiempo incierto y sin trascendencia no pueden sino expresarse a través de una imagen desmantelada y una lengua trastornada. La forma estalla, la información es librada en pedazos y en bruto, con excesos no codificables: mutabilidad de un mensaje entrópico que se diversifica multiplicando sus modos operativos.

Esta impugnación de la imagen del mundo y del mundo de la imagen, esta pérdida del poder aurático, del poder catártico del arte entran en conflicto con la búsqueda de la evasión protectora, del reparo placentero y placentario, de los perdidos sortilegios, de la imantación y del encantamiento arrobadores. Para morigerar los descalabros, para amortiguar los choques, el poema se abre, cuando puede, al aire de los sueños que absuelvan de la opresión de un presente traumático. La diversificación desintegradora está entonces alivianada por el remonte lírico. Toda materialidad grávida y agresiva es sublimada por la levitación, por la ligereza lúcida, por el desprendimiento humorístico, por el halo de lo enigmático.

Extremando las transposiciones metafóricas y los trastocamientos lingüísticos, *Altazor* transgrede los límites del discurso instituido para manifestar una carga que excede al sujeto y a las estructuras usuales de la comunicación. Rompe con las formulaciones razonables para que aflore lo informulable, para explayar la subjetividad reprimida. Extremando su poder disrruptor, provocará primero una subversión referencial, luego una léxica, una sintáctica y una fonética para alcanzar por descalabro liberador el fundamento de la significancia.

Excéntrico del lenguaje, el sujeto real, el de las confusas mezclas del fondo entrañable, el sujeto carnal, con su espesor y espesura psicosomáticos, atraviesa el discurso como ruido que no se deja articular, como entropía que descompone el dispositivo poético para mòstrar, por violación del código lingüístico, la pujanza del exceso irreductible a la significación, para hacer aflorar el orden deseado donde cesa la escisión que desdobla al sujeto y donde toda fragmentación se resuelve en regreso a la solidaridad del comienzo. Los aflujos desestructurantes, «con cortacircuitos en las frases y cataclismos en la gramática», malbaratan los carriles elocutivos, malquistan la mala concordancia estatuida entre sujeto, lenguaje y mundo, compulsan la palabra a representar otra coherencia que la logomaquia de superficie. Semantizados los significantes y somatizados los significados, cesan los cortes separadores. Descendida al fondo sémico, al tiempo y al espacio unitivos, allí donde el ritmo vocal reencuentra el bucal, la lengua, melificada por el placer oral y glótico, opera su regresión genética, abandona la estructura frástica por la sopa sonora.

Residencia en la tierra: paradigma de la primera vanguardia

Residencia en la tierra integra, junto con *Trilce* de César Vallejo y *Altazor* de Vicente Huidobro, la tríada de libros fundamentales de la primera vanguardia literaria en Hispanoamérica. Posee todos los atributos que caracterizan a la ruptura vanguardista. Surge íntimamente ligado a la noción de crisis generalizada y promueve un corte radical con el pasado. Participa en la renovación profunda de las concepciones, las conductas y las realizaciones artísticas. Cambio de percepto y cambio de precepto van a la par. Neruda acomete una revolución instrumental porque promueve una revolución mental. Su arte impugna la imagen tradicional del mundo, contraviene sobre todo la altivez teocéntrica y la vanidad antropocéntrica del humanismo idealista; e impugna el mundo de la imagen: la mímesis realista, la visión perspectivista, la representación progresiva y cohesiva, la figuración simétrico-extensiva, la composición concertante, la expresión estilizada, el arte de la totalidad armónica.

Neruda no da cuenta del vertiginoso remodelado impuesto por la era industrial ni del rápido trastocamiento del hábitat urbano producido por la revolución tecnológica. *Residencia en la tierra* se ocupa de una mudanza íntima, de un cambio de mentalidad que conlleva una crisis raigal de valores. Refleja ese estallido de los marcos familiares de vida y de referencia que trastorna la estabilidad del orden preindustrial (comarcano, aldeano, rural, artesanal), que trastoca el mundo solariego de las relaciones personalizadas, las solidaridades seculares de la comunidad local sometidas ahora al embate de un proceso que masifica y uniformiza aceleradamente. Neruda no adhiere a la modernolatría futurista, no participa de la vanguardia eufórica (la del primer Huidobro, la de los ultraístas), aquella que alaba las conquistas del mundo moderno, la que asume los imperativos del programa tecnológico: avance permanente, incesante renovación de procedimientos y de productos, constante suplantación de lo objetual, perpetua modificación nocional. Neruda no canta la loa del siglo mecánico, no alaba la era de las comunicaciones, de las circulaciones internacionales, de las babeles electrificadas, no multiplica en sus textos los índices de actualidad: no explicita estrepitosamente su modernidad. Aunque ella aparezca a veces en la literalidad, se manifieste en la ambientación de ciertos poemas donde tierra baldía equivale a contexto urbano, no vale la pena inventariar en Neruda los signos de contemporaneidad explícita. Su modernidad, como la de Vallejo, está interiorizada. Hay que buscarla en su tumor de conciencia, en su representación de la vida fraccionada, del hombre escindido que sufre un doloroso divorcio entre mente y mundo. Su modernidad se detecta en las relaciones dislocadas por una angustiosa inadaptación a la precariedad, a la insignificancia, a la intrascendencia de una vida alineada, acechada por las incertidumbres fundamentales (origen, condición, destino, sentido).

Desde el comienzo, *Residencia en la tierra* dice acerca de la sumergida lentitud, de lo informe, de lo confuso pesando, haciéndose polvo, del rodeo constante, del vasto desorden, de naufragio en el vacío. Dice la astenia, la duración átona, la pura espectativa de una existencia expectante sólo con respecto a su propio existir, sumida por la lasitud en días de débil tejido —acaecer que no se entrama, que no se tensa—, entre materias desvencijadas. Esta existencia está desnuda, fuera del orbe laboral, de toda motivación utilitaria, sin razón suficiente, abierta a su circunstancia solitaria, a un acontecer sin conexión, sin cauce, no encausado, no conduscente:

> Yo lloro en medio de lo invadido, entre lo confuso,
> entre el sabor creciente, poniendo el oído
> en la pura circulación, en el aumento,
> cediendo sin rumbo el paso a lo que arriba,
> a lo que surge vestido de cadenas y claveles,
> yo sueño, sobrellevando mis vestigios morales.
>
> *(«Débil del alba»)*

La desolación existencial (como lo asevera Neruda en sus memorias, en *Confieso que he vivido*) es agudizada por su estada en un oriente sin prestigio que lo aísla, lo desvincula de su mundo y lengua maternos, lo vara en un medio doblemente extranjero, donde no puede establecer relaciones de solidaridad ni social ni cultural; esta temporada en el infierno lo vuelve un mero coexistente, una especie de prófugo mental.

La distancia todo lo deslíe. Si Neruda se aferra a veces a los recuerdos reparadores y restauradores, a la naturaleza natal, a algún amor quimérico que ejercen, fantasmáticamente, en la escena utópica del poema, su poder lustral, regenerador, en lo mejor de *Residencia en la tierra* se entrega a esa experiencia de apertura del ser al no ser, a una inmanencia anuladora, a la exploración del desamparo, al rescate, por la escritura, de sueños cenicientos y devaneos funestos.

Como el tejido del día, como su lienzo débil, el poema tiene una textura laxa, discursiva, prosaria —agujereada red, textura palimpsesto—, de una ritmicidad atenuada; es un rodeo incesante en torno de un centro obscuro que el circunloquio metafórico busca aprehender sin (dis)cernir, un núcleo impenetrable, innominable que se esconde en los antros del ser, adonde sólo se llega a tientas y a ciegas, orientado por la conciencia palpatoria, aguas adentro bogando a la deriva, deriva sonámbula:

> Trabajo sordamente, girando sobre mí mismo,
> como el cuervo sobre la muerte, el cuervo de luto.
> Pienso, aislado en lo extenso de las estaciones,
> central, rodeado de geografía silenciosa:
> una temperatura parcial cae del cielo,
> un extremo imperio de confusas unidades
> se reúne rodeándome.
>
> («*Unidad*»)

A mundo inconexo, a realidad desintegrada corresponden la textura floja, la concatenación debilitada, las relaciones inciertas, las asociaciones desatinadas. Neruda se mueve en un ámbito de acontecer sin dirección, de manifestación fuera de provecho, fuera de toda funcionalidad utilitaria, al margen del proceso de producción y de reproducción sociales. Se mueve en una cáscara de extensión fría y profunda, sujeto a un movimiento sin tregua y sin nombre. Enfrenta el gran galimatías, el absurdo desorganizador que todo lo opaca, confunde y anonada.

En ese tiempo inconduscente, no vectorial, Neruda percibe por sobre todo la merma, el deterioro, la destrucción. De ahí el descendimiento desublimante que opera su poesía, de ahí esa visión de vida estrecha, de actos menores, de grisura doméstica, de funciones inferiores, de materias residuales. Tres temas ponen de manifiesto este descenso: la ciudad como espacio de la degradación y del vaciamiento humanos, la crudeza somática y las materias de desecho.

Marco de la pérdida, de la incompletud, de la desvirtuación, la ciudad puesta en escena por *Residencia en la tierra* es la del ser gregario en medio de la multitud anónima, es sociedad masiva de hábitos reglamentados, es paisaje manufacturado y hábitat unificador. Si contra la concentración aplanadora Neruda apela a la mitopoesis que le permite el reintegro imaginario al espacio restaurador, si a veces recurre a la regresión hacia lo natural, primigenio, maternal, principalmente ahonda en su desoladora experiencia del aislamiento urbano. Registra la aridez, el apocamiento, la separación, la fealdad, la clausura de esa existencia reificada, cosificada por la imposibilidad de pactar psicológica, socialmente con esa cohabitación dirigida a la producción y al consumo masivos, con el orden mercantil y burocrático. «Walking around», «Desespediente» y «La calle destruida» dan cuenta cabal del caballero solo que deambula por el páramo ciudadano:

> Sucede que me canso de ser hombre.
> Sucede que entro en las sastrerías y en los cines
> marchito, impenetrable, como un cisne de fieltro
> navegando en un agua de origen y ceniza.
>
> ....
>
> Yo paseo con calma, con ojos, con zapatos,
> con furia, con olvido,
> paso, cruzo oficinas y tiendas de ortopedia,
> y patios donde hay ropas colgadas de un alambre:
> calzoncillos, toallas y camisas que lloran
> lentas lágrimas sucias.
>
> («*Walking around*»)

Tiendas inhóspitas, oficinas tumbales, peluquerías malolientes, hoteles sórdidos, habitáculos librados al abandono, lugares envilecidos, son todos paradigmas del desamparo, infunden un frío de muerte. Por ahí aparecen los pobladores de esas moradas de la mala vida, la fauna infame —tahúres, abogados, notarios— y los hombres del montón, los destinos mediocres. Por momentos, la proximidad entre *Residencia en la tierra* y *The waste land* de T. S. Eliot salta a la vista; una misma visión genera ambos textos y su elocución es semejante:

El pequeño empleado, después de mucho,
después del tedio semanal, y las novelas leídas de noche en
ha definitivamente seducido a su vecina, [cama,
y la lleva a los miserables cinematógrafos
donde los héroes son potros o príncipes apasionados,
y acaricia sus piernas llenas de dulce vello
con sus ardientes y húmedas manos que huelen a cigarrillo.

(*Caballero solo*)

Con referencia a la escala humana, Neruda opera un rebajamiento hacia los seres y actividades sin prestigio, practica un rescate poético de lo prosaico, de la experiencia ordinaria, de lo basto y grueso y hasta de lo degradante. En el plano de las manifestaciones corporales, ese descenso se presenta como crudeza somática, como ampliación descarada del decible corporal, como franqueza física y sobre todo sexual. «Ritual de mis piernas» constituye un buen ejemplo de esta expresión no eufemística del cuerpo en su más concreta materialidad; las piernas, compactos cilindros con musculatura masculina, criaturas de hueso con forma dura y mineral «son allí la mejor parte de mi cuerpo: / lo enteramente substancial, sin complicado contenido / de sentidos o tráqueas o intestinos o ganglios». *Residencia en la tierra* ofrece el vasto repertorio de la carne v el vientre. Lo genital, lo seminal, lo fecal aparecen desnudamente mencionados:

Y por oírte orinar, en la oscuridad, en el fondo de la casa,
como vertiendo una miel delgada, trémula, argentina,
[obstinada,
cuántas veces entregaría este coro de sombras que poseo (...)

(*Tango del viudo*)

Los residentes en la tierra orinan, defecan, vomitan, se masturban, copulan, eyaculan, ingieren y expulsan, como seres carnales ligados por su cuerpo a las materias terrestres, seres igualados por lo bajo, por lo gruesamente corporal. Lo corporal conecta con el fondo entrañable, con el centro vivificador, con lo medular, con lo genésico; lo corporal posibilita la regresión regeneradora. Lo corporal se cosmifica, la introyección hacia lo visceral puede volverse vía mística; así el éxtasis orgásmico de «Agua sexual» se confunde con estro visionario, es reactor onírico que instala al poeta en la matriz imaginante:

Veo el verano extenso, y un estertor saliendo de un granero,
bodegas, cigarras,
poblaciones, estímulos,
habitaciones, niñas
durmiendo con las manos en el corazón,
soñando con bandidos, con incendios,
veo barcos,
veo árboles de médula
erizados como gatos rabiosos,
veo sangre, puñales y medias de mujer,
y pelos de hombre,
veo camas, corredores donde grita una virgen,
veo frazadas y órganos y hoteles.

Por lo bajo, por contacto directo con las funciones elementales, por la visión visceral, la palabra remitida a la carnalescencia (como diría Darío) se reconcilia con su base material, vuelve a habitar el cuerpo que la profiere.

Los desechos constituyen el descarte inútil, corresponden a lo que está fuera de función. La visión nerudeana se apodera de los residuos para convertirlos en representantes o manifestantes de la subjetividad atribulada, marginada con respecto al circuito de la servidumbre social, incompatible con la integración oprimente. Las materias residuales revelan la misma carencia de entidad que el sujeto que en ellas se reconoce, equivalente pérdida de identidad, identidad entendida como filiación, pertenencia, clara asignación, designación que individualiza:

Estoy solo entre materias desvencijadas,
la lluvia cae sobre mí, y se me parece,
se me parece con su desvarío, solitaria en el mundo muerto,
rechazada al caer, y sin forma obstinada.

(Débil del alba)

Las identificaciones son disgregadoras, disolutoras, analogías con lo desvalido, lo ruinoso, lo perecedero. Neruda hace arte pobre o *trash-art* (arte de residuos, arte de basural) porque en esos desperdicios está la marca del uso y del desuso que los humaniza. Neruda los convierte en íconos de la condición humana. Con sus figuraciones de lo residual anula la frontera entre material noble, específicamente artístico, y material extrartístico. Esas acumulaciones heteróclitas que hacen de tantas calles sucios vaciaderos, se aglomeran, se adensan, cercan:

Me rodea una misma cosa, un solo movimiento:

....

las cosas de cuero, de madera, de lana,
envejecidas, desteñidas, uniformes,
se unen en torno a mí como paredes.

(Unidad)

Las materias desvencijadas son intercesoras de lo oscuro, de lo abisal entrañable, ligan con el centro tenebroso, con lo humano medular, remiten a lo profuso y lo confuso primordiales, al caos primigenio, son las mediadoras del mundo de abajo, del mar de fondo, comunican con el infierno íntimo.

Cualquier substancia, cualquier objeto puede ser conductor de la visión nerudeana, manifestante sentimental, vector de energía poética, cualquier cosa puede ser implicada por la subjetividad, volverse metonimia del yo que se autoexpresa a través de esas convocatorias de lo dispar, mediante esos heterogéneos inventarios que son las enumeraciones caóticas. Las dos mejores, es decir las dos más diversas, cuyos componentes proceden de contextos más distantes, están en «Un día sobresale». La poesía ya no imita las apariencias sensibles, no acata las asignaciones de lo real legible, libera los signos del yugo referencial, abre el texto al más acá aliterario, a la promiscuidad confusa de lo extra textual. Redispone lo real externo para revelar lo real interno, para que la escritura pueda acoger la pujanza de un exceso no codificable, centrífugo al discurso, que desbarata las disposiciones del entendimiento discursivo, que desbarajusta el arreglo del continuo consciente para reintroducir en el orden simbólico la móvil y simultánea pluralidad de lo real:

> Zapatos bruscos, bestias, utensilios,
> olas de gallos duros derramándose,
> relojes trabajando como estómagos secos,
> ruedas desenrollándose en rieles abatidos,
> y water-closets blancos despertando
> con ojos de madera, como palomas tuertas,
> y sus gargantas anegadas
> suenan de pronto como cataratas.
>
> *(Un día sobresale)*

Lo real nerudeano es materia extensible y deformable; deja siempre libre la posibilidad de crear nuevos conjuntos. La realidad exterior e interior, interpenetradas, constituyen una misma mezcla incierta, dispar, cambiante. La realidad deja de ser materia dada, no tolera asentamiento mental ni estable ni seguro. La naturaleza humana ya no puede ser aprehendida a través de descripciones realistas, mediante exhaustivas listas de detalles naturalistas, es elusiva, múltiple, plurívoca; es irreductible a paradigmas. Toda realidad deviene campo de fuerzas en pugna. Caduco el sistema simbólico basado en la imitación de apariencias, invalidado el orden mensurable, formulable a partir de un órganon de símbolos normativos, Neruda opta decididamente por el abordaje imaginario, por la constitución hipotética de un corpus regido por su propia coherencia, opta por la instalación intuitiva en pleno plexo, en plena turbamulta de lo real. La información es librada en grueso, abigarrada, enrarecida, sujeta a relaciones aleatorias y perspectivas diversas, excentrada por la variación de marcos de referencia. No hay manera de domesticar el sentido, de sofrenar tanta traslación de sentidos tránsfugas.

Por un lado existe esta transmigración simbólica que provoca un éxodo categorial; y por el otro, una situación simbolizante autónoma, ligada a la experiencia material, directa, que extrae materia prima del entorno inmediato para crear símbolos crudos, frescos, símbolos instaurados ex nihilo a partir de la propia aprehensión imaginante. Símbolos no provenientes del acervo simbólico tradicional, que no remiten al almacén cultural, símbolos inaugurales de una nueva simbología. En su exploración de territorios que desbordan el dominio literario, fuera del decible y del legible colonizados, Neruda cultiva el desgobierno retórico y el desvacío metafórico; borra las marcas diferenciales (exterior/interior, subjetivo/objetivo, real/imaginario, temporal/espacial, natural/artificial); ejerce a fondo las libertades textuales (sobre todo de composición, dirección, asociación); desescribe lo escribible basando su acción de zapa en códigos negativos, de modo tal que el poema parece ser nada de norma y todo licencia. Esta antipoesía respaldada por una contracultura funciona, por su puesto, sobre la base de un sistema menos, por carencia o contravención de las marcas características de la poesía artística y en relación siempre con la bipolaridad arte/antiarte, que no excluye definitivamente ninguno de los términos de la antinomia. Neruda desarregla la relación de encuadre estable anexando y coaligando fragmentos de realidades disímiles, según una combinatoria autónoma que concita acontecimientos verbales sorpresivos y sorprendentes. El desborde de sentido indómito, la polisemia errante provocada por extrañas constelaciones de imágenes revelan la implicación emotiva de la subjetividad que moviliza la impulsión figural, subjetividad excéntrica al lenguaje que, para manifestar su alteridad, se libra a la palabra espontánea poniendo en juego una red de relaciones equívocas que aluden a un referente soterrado, innominable y omnipresente. El sujeto lírico de *Residencia en la tierra* rompe los retenes logométricos, desquicia la temporalidad fáctica para trasladar el poema a la otra escena, escena críptica, donde puedan emerger reminiscencias de la historia oculta. Neruda emprende el descenso onirogenésico; bucea por debajo del orden simbólico tratando de rescatar el trasfondo subliminal, preconsciente. Propulsa su escritura hacia los límites del entendimiento.

Neruda crea visión inédita que proyecta sentido enigmático; pero a la vez opera, por condicionamiento histórico, dentro del marco de su época. Nuestra perspectiva de medio siglo de distancia (la primera *Resi-*

dencia en la tierra aparece en Santiago en 1933) nos permite comprobar cómo aparecen ya en este libro paradigmático los arquetipos de la imaginación moderna, los que van a constituir la iconología característica del arte contemporáneo. Cuántas figuraciones de *Residencia en la tierra* evocan cuadros de Giorgio de Chirico, de George Grosz, de Salvador Dalí, de Max Ernst. *Residencia en la tierra* surge a la par de la primera poesía surrealista sin que ésta ejerza influencia directa en la poética nerudeana. Son creaciones sincrónicas que respiran, una y otra, el aire del tiempo. Coincidencias de actitud, de objetivos, similitud de proyecto estético producen resultados semejantes. Por ejemplo, «Oda con un lamento» o «Materia nupcial» provienen de una misma matriz visionaria que *El perro andaluz* del dúo Buñuel-Dalí, operan instrumentalmente dentro de un mismo encuadre artístico:

> Debe correr durmiendo por caminos de piel
> en un país de goma cenicienta y ceniza,
> luchando con cuchillos, y sábanas, y hormigas,
> y con ojos que caen en ella como muertos,
> y con gotas de negra materia resbalando
> como pescados ciegos o balas de agua gruesa.
>
> *(Materia nupcial)*

Sin duda que el encuentro con Federico García Lorca en 1933 y la estada madrileña, a partir de 1934, en estrecho contacto con Rafael Alberti y los otros poetas de la generación del 27, influyen en Neruda. Las editoriales de la revista Caballo Verde para la Poesía demuestran la íntima correspondencia entre Neruda y los surrealistas españoles. La imaginación de Neruda se arrebola arrebatada por la vehemencia española. El cambio de registro, que también tiene que ver con el cese de la temporada infernal, la superación del ensimismamiento angustioso, la recuperación del gozo vital y de la solidaridad humana, es notorio en la parte final de *Residencia en la tierra.*

Residencia en la tierra es una obra generada en una travesía intercontinental, a lo largo de un periplo transcultural y translingüístico. Se gesta en relación con realidades no localizadas, con experiencias de la vida moderna generalizadas, y se sitúa estéticamente con referencia a un estado internacional de la literatura. Porque presupone la noción de una literatura mundial, *Residen-*

cia en la tierra no puede ser recuperada por vía vernácula; su carencia de referencias autóctonas invalida toda lectura limitada a lo nacional.

En *Residencia en la tierra* todo secunda la visión: la lengua es coadyutora y el ritmo se subordina a la andadura semántica, al flujo imaginante, lo que da una melodía atenuada, no aliterativa, sin efectos orquestales, una especie de salmodia monótona sin brillantez ni fónica ni léxica:

De conversaciones gastadas como usadas maderas,
con humildad de sillas, con palabras ocupadas
en servir como esclavos de voluntad secundaria,
teniendo esa consistencia de la leche, de semanas muertas,
de aire encadenado sobre las ciudades.

(Sabor)

La prosodia no adquiere relieve autónomo, está casi por completo despojada de metronómica. En *Residencia en la tierra* no hay ahínco formal inmediatamente perceptible. Los principios constitutivos del verso se reducen a su mínima manifestación: cortes versales y estróficos, versos y estrofas de medida fluctuante. Esta poesía en verso verdaderamente libre se aproxima a la prosa cadenciosa, orienta la dinámica versal hacia su polo opuesto, opera en la zona fronteriza entre prosa y verso e incursiona, como en la segunda parte de la primera *Residencia,* en el dominio de la prosa propiamente dicha.

Neruda asume su función vanguardista de liberador de lo concebible y de lo formulable. Y para decir la fealdad y el sin sentido de la existencia incompleta, oprimida por un mundo indeseable, para registrar en bruto lo sólito, lo pedestre, lo crudamente psicosomático, para mostrar el embate desarticulador, para dar cuenta de su pugna mental, para abrirse a las potencias desfigurantes necesita desmantelar el sistema literario precedente, desarmar los dispositivos placenteros, la estilizada elegancia, los rebuscamientos verbales y los arreglos eufónicos del modernismo. Neruda pone en práctica un arte radical, por lo tanto un arte de negación, agresivo y sombrío. *Residencia en la tierra* participa en la primera fase eruptiva del rechazo; representa un mundo neurálgico, da curso a las descargas de la subjetividad rebelde, egotista y neurópata, que extrema su negación para preservarse de la falsa conciliación, de la integración falaz; expresa la impronta de lo oscuro reprimido, inscribe los afloramientos desconcertantes de la tiniebla interior; es arte de la incertidumbre regido por una conciencia de la desazón, dice la angustia imperiosa que no acepta ser mediatizada por la transfiguración estética. Luego, en la fase tética, la del ordenamiento, asimilada ya la ofensiva demoledora, nos ocupamos de incorporar este antiarte, agente de la cultura adversaria, al museo de la historia monumental. Creo que *Residencia en la tierra* resiste todavía a la recuperación (o sea a la legibilidad) institucional, creo que mantiene activa su poderosa, su tentadora carga de oscuridad.

Estética de lo discontinuo y fragmentario: el collage

El collage recorta fragmentos preformados, extraídos de obras o mensajes prexistentes y los yuxtapone para integrarlos en un conjunto disímil, de contextualidad compuesta y antagónica. *Disjecta membra,* el collage presupone una poética basada en la discontinuidad y la disonancia, en las superposiciones aleatorias, en las contigüidades insólitas, en lo multiforme y multirreferente. Acumulación caótica, adicta a la estética de la profusión, ejerce la potencia implicativa; crea una dinámica anexionista, dinámica adhesiva, capaz de involucrar la agitada disparidad de lo real. A partir de efectos diferenciales y efectos de conmutación, combina, en agrupamientos de integración parcial, componentes heterogéneos que, al no perder su alteridad, siguen remitiendo al contexto de origen. Prolífico potpourri, patchwork voraz, puzzle pletórico, el collage revela una prodigiosa capacidad de ensamblaje de conjuntos transitorios. Coexistencia de medios y modos distintos, de técnicas y protocolos adversos, pone en juego una combinatoria abierta que libera los signos de su pertenencia y su pertinencia habituales, los absuelve de las compatibilidades convencionales para establecer su propia contractualidad comunicativa. Al desmantelar la imagen de punto de mira fijo, al desquiciar las sucesiones crono y topológicas, al desmembrar la figuración armonicoextensiva, el collage reorganiza la visión, ocasiona una migración figurativa que redunda en transmigración conceptual, propone otro esquema simbólico para representar el mundo.

El collage, tal como lo conciben las artes de nuestro tiempo, nace hacia 1912 como propuesta pictórica de una tal adaptabilidad, que pronto se convierte en un módulo o matriz formal extensible a todas las prácticas estéticas, aplicable a todos los medios o soportes sujetos a configuración artística. Objeto metamórfico que entrevera fugaces simultaneidades, el collage se revela como el dispositivo que mejor corresponde a la visión móvil, lábil, relativa e inestable propia del siglo mecánico, aparece como el principio de composición correlativo a las veloces superposiciones, al vértigo y al tumulto de la urbe moderna.

A principios de 1912 Pablo Picasso pega y pinta el primer collage propiamente dicho: «Naturaleza muerta con esterillado». Incluye un pedazo de tela encerada que imita el esterillado de una silla; este aditamento se integra a la composición de un bodegón cubista de forma oval, enmarcado por una cuerda de cáñamo. También de 1912 data el primer *papier-collé* de George Braque —«Bodegón con frutera y vaso»— donde pega recortes geométricos de papel para tapizar muros. Sobre ellos, dibuja los objetos con carbonilla creando indeterminaciones espaciales entre fondo y figura. Mediante los trozos de papel impreso, acentúa las ambigüedades por las interpenetraciones que la óptica cubista busca fomentar, o por la oposición entre manualidad y manufactura. Pronto, la obra de arte se abrirá por completo, figurada y literalmente, a la extrema diversidad del mundo circundante. Por el amplio desarrollo que de inmediato cobra la incorporación de materiales preformados, provenientes del ámbito extrartístico, la denominación de *papiers-collés* resulta estrecha, demasiado circunscripta a una práctica pictórica. Se impone entonces el término *collage*, propuesto por Picasso, que se confunde frecuentemente con el de *assemblage*, ensambladura o montaje. Así, la primera gran retrospectiva del género, organizada en 1961 por el Museo de Arte Moderno de Nueva York, fue titulada «The Art of Assemblage».[1] Ella historiaba los avatares del collage desde la ópera prima de Picasso hasta los ensamblajes de Rauschenberg, las acumulaciones de Arman y las máquinas desatinadas de Tinguely.

El collage verbal evoluciona paralelamente al collage en las artes visuales, con pareja capacidad de extensión. Desde 1910, los cubistas pintan letras, cifras, partituras, cuyas formas planas contrastan con la descom-

1. Véase el excelente catálogo de esta muestra: William C. Seitz, *The art of assemblage*, New York, The Museum of Modern Art, 1961.

posición de objetos volumétricos, desplegados en visión multifocal sobre la superficie del cuadro. A la par, Apollinaire consigna en *Zone* la nueva belleza del contexto gráfico —carteles, rótulos, anuncios— que comienza a proliferar en la ciudad moderna. De la imitación con medios pictóricos de material impreso, los cubistas pasan a la inclusión directa de recortes pegados: papeles de pared veteados o jaspeados que imitan madera o mármol, galones, bandas de periódicos, avisos ilustrados, tarjetas de visita, precintos, etiquetas, programas, pedazos de telas estampadas. Mediante esta entrada directa de elementos del entorno cotidiano, entablan un complejo contrapunto entre ilusión y realidad, entre la retórica tradicional de la representación figurativa y la contrarretórica de la anexión corpórea de lo real inmediato, de lo más común e incluso de lo residual. Desde el comienzo, el collage instaura su dialéctica entre propio e impropio, entre forma y antiforma, entre principios antagónicos y prácticas incompatibles, entre ennoblecimiento por respeto a los protocolos intrínsecos a un género y rebajamiento por incorporación de lo ajeno o extrínseco. La estilización que transfigura, el tratamiento noble que distancia entran en conflicto con el ingreso en bruto de fragmentos del mundo exterior que no disimulan su extrañeza. Además de los efectos diferenciales, de la configuración heterotópica que multiplica sus fracturas, está la vis irónica, esa reversibilidad provocada por el juego entre presentación directa de los tipogramas de un periódico y representación ilusionista del mismo motivo, entre la reproducción de imágenes impresas y la producción de la imagen pintada. Desde su inicio, el collage se define como conjunto ubicuo, descentrado, antitético, reversible, dotado de una prodigiosa capacidad de ligazón, de una vivacidad y una voracidad fenomenales.

De la figura plana, Picasso pasa a los ensamblajes tridimensionales, construidos según el mismo desmantelamiento de los volúmenes y la multiplicidad focal. Usa papeles plegados, cartón, hojalata, madera, alambre, cordel, como en su famosa «Guitarra» de 1912. Nuevos modos de asociación se aplican a montajes diferenciales que sustituyen la perspectiva de punto fijo por una articulada según diferentes puntos de mira: frontal, angular, en escorzo, al desplomo o aéreo. Las superficies se desmenuzan, las formas se dispersan, se imbrican proponiendo una nueva percepción de un espacio ahora cambiante, penetrable, temporalizado. O los objetos se agrupan según nuevos criterios para establecer conjuntos presididos por nuevos sistemas de percepción, de concepción y de representación, concitados por una nueva experiencia del mundo.

A las ubicuidades y simultaneidades de la figuración cubista, los futuristas añaden la velocidad para poner de manifiesto no sólo el dinamismo inherente o infundido a toda realidad, sino también la interrelación del tiempo y del espacio instalada ahora en la intimidad de la materia. La tendencia a la vorágine, la propensión al paroxismo de los futuristas se aplica también al activamiento del collage. Marinetti y sus acólitos lo convierten en un mosaico multimedia, a la vez visual y verbal, en una exacerbación de estímulos motores, en una verdadera intersección de lo gráfico/pictórico con lo textual. El mejor ejemplo es la «Festa patriotica» —dipinto parolibero— (1914) de Carlo Carra, collage de ondas concéntricas en arcoirisada expansión, de estructura radiante donde, a partir de un centro circular, se propagan rayos hechos con tiras de papel impreso; slogans publicitarios, titulares, leyendas, fragmentos de muy distintos discursos rotan pululando en un espacio móvil, saturado de signos.

Las prédicas y las prácticas de Marinetti —las palabras en libertad, la imaginación sin ataduras, la revolución tipográfica, el estilo telegráfico, el énfasis puesto en los efectos tónicos, fónicos, rítmicos y plásticos, la palabra intuitiva y sintética— influyen sobre Guillaume Apollinaire, identificado ya con la estética cubista al punto de haberse convertido en su primer propagandista y primer propagador al terreno poético. Apollinaire intenta trasladar las técnicas cubistas al medio verbal. Así como los pintores buscan, en pos de la cuarta dimensión, temporalizar la pintura, los poetas se empeñan en espacializar la poesía. Apollinaire pone en funcionamiento principios de composición concomitantes al collage y concibe los dispositivos apropiados a la estética de lo discontinuo y fragmentario. Absuelve el verso de la puntuación y de la métrica, y aprovecha de todas las libertades textuales: de composición, de asociación, de dirección, de extensión. Preanuncia el collage mediante su técnica de la compilación; consiste en extraer pasajes de poemas precedentes y refundirlos con otros recientes para componer un nuevo texto, donde dispone, según un desarrollo concatenado por relaciones subjetivas de sentido, materiales de muy diversa procedencia. A veces los pasajes primitivos son reelaborados, otras veces se insertan sin modificaciones como fragmentos preformados. Algunos poemas están totalmente compuestos por la yuxtaposición de recortes provenientes de otras composiciones.[2] Luego, Apollinaire introduce las técnicas ideográficas y abre por completo el poema a la intromisión, a la contaminación de los discursos de afuera que irrumpen como representantes de la bulliciosa contextualidad extraliteraria, de la estrepitosa polifonía metropolitana.

«Arbre», aparecido en marzo de 1913, «Lundi rue Christine», publicado en diciembre del mismo año y «Lettre-Océan» de junio de 1914, dispuestos unos a continuación de otros en *Calligrammes*, muestran la rápida sucesión que desemboca en el collage verbal. *Arbre* ensambla, sin nexos explícitos, sin transiciones, fragmentos que remiten a una extremada diversidad referencial. Sujeto a una constante variabilidad focal, tempoespacial, pronominal, superpone momentaneidades heterogéneas ligadas por relaciones multívocas que inscriben un decurso zigzagueante, lleno de brechas sugeridoras y de altibajos movilizadores. Las transfiguraciones líricas, los remontes sublimantes contrastan con realidades prosaicas; las pompas del estilo alto alternan con una topografía miserable, desprovista de todo prestigio y literalmente asentada. La diversificación simultaneísta de tiempos y espacios incompatibles instala contrastes entre ingredientes que se activan por oposición, una tensión disonante entre realización y ruptura del sistema, sin que ningún componente logre asumir el predominio constructivo. Todos los factores obran de potenciadores en pugna; ninguno logra imponerse como diseño y cerrar la extrema apertura de la serie. «Arbre» opta por una estereofonía centrífuga, entrópica, de máxima admisibilidad y máxima imprevisibilidad.

El mismo sistema de composición rige el montaje de «Lundi rue Christine». Escrito durante una conversación en un cafetín de la rue Christine, transcribe parlamentos inconclusos de tenor muy diferente a cargo de interlocutores no identificados, en un lenguaje franca-

2. V. «Técnica de la compilación» en Saúl Yurkievich, *Modernidad de Apollinaire*, Buenos Aires, Losada, 1968, pp. 244 y ss.

mente verista, coloquial y por momentos argótico. Mosaico simultaneísta, registra la mezcla casi amorfa que cualquier oyente puede captar en un lugar concurrido. En este paradigma del «poema-conversación» el poeta cede los privilegios de la autoría a los hablantes anónimos, al coro ciudadano, para que la multivocidad ambiental ocupe el lugar del sujeto lírico, de ese egótico que acostumbra a autoexplayarse monopolizando todas las instancias enunciativas. Aquí, el poeta inscribe discretamente las estelas de discursos proferidos por el prójimo callejero, vuelca el poema hacia la heterogénea y tumultuosa oralidad pública, da voz poética a la lengua popular, da lugar a esa realidad transcripta en grueso, con el mínimo de formalización, a esa materia prima que sustenta a la otra, su lactante: la lengua literaria. El poema se autoexpulsa de su dominio privativo para desplazarse hacia el registro sociolectal; la intervención poética consiste en diseñar un recorte y una sucesión de muestras o reproducciones de lo que se profiere en el ámbito colectivo. Apollinaire propone un *ready-made* dialógico; la poeticidad la da su condición de zambullida en el medio oral circundante, su valor de símil de una experiencia de lo real urbano. Apollinaire, el gran premonitor, hace obra gruesa, arte pobre o antiarte: pasa directamente al otro lado del confín artístico para vitalizarlo por irrupción no estilizada de lo real inmediato.[3]

«Lettre-Océan», a la vez primer caligrama y primer collage propiamente dichos, abandona la yuxtaposición discursiva, la sucesión versal para desplegarse ideográficamente por todo el espacio de la página. Desparrama círculos, haces, leyendas destacadas, pasajes epistolares, inscripciones postales («Correos de México / 4 centavos», «República Mexicana / Tarjeta Postal», «U. S. Postage / 2 cents. 2»); estas fórmulas transfieren al ideograma mensajes prexistentes o preformados, son ellas las que le otorgan la categoría de collage en sentido estricto. Los pasajes discursivos contrastan con los telegráficos; la diagramación combina una tipografía de familias y tamaños cambiantes, inscribe dos figuras solares que tienen como centro la torre Eiffel. El lenguaje gráfico, impresivo, las imágenes sintéticas, las metáforas condensadas, toda la utilería futurista está utilizada con un humor jovial que aligera y desdobla los signos. Apolli-

3. *Op. cit.*, «Poema-conversación», pp. 253 y ss.

naire practica la «description onomatopeïque» propuesta en su manifiesto «L'Antitradition Futuriste». En el segundo sol se leen cuatro circunvoluciones que reproducen: la primera, el ulular de las sirenas; la segunda, el motor y la campnana del autobús; la tercera, un zumbido de gramófono, y la cuarta, el repetido crujir de los zapatos del poeta.

La categoría collage no debe aplicarse con sentido restrictivo. Lo que importa no es autenticar los prototipos indiscutibles del género sino establecer un principio general de composición, reconocer su figura básica (figura de la de la defiguración, forma de la disformidad), esa figura abierta, combinable, que modela las artes del siglo XX, esa imagen diversa y dispersa que constituye el fundamento (deontológico y noético) de nuestra representación del mundo. El collage es el icono que vuelve visible la estética de lo inacabado, discontinuo y fragmentario, su manifestación sensible. Corresponde a la desarticulación de los antiguos marcos de referencia, a la pérdida de la noción de centro, a la multiplicación de dimensiones y direcciones, a una relativización generalizada, a una situación constantemente sujeta a cambio, a crisis, a colapsos. Quebrados todos los continuos, se impone una concepción diversificadora y desintegradora de la realidad que no puede sino promover una imagen desordenada y a menudo desesperada del mundo. Por carencia de un principio formal válido que asegure la integración unificadora, el arte se entrega a la heterodoxia estilística. La acelerada movilidad histórica anula toda fijeza perceptiva y preceptiva. Sin garantías de permanencia, sumido en el informe universo de la contingencia, el arte se torna búsqueda y variación constantes. La realidad no aparece ya como materia dada sino como una pluralidad descompuesta, entreverada, que los antiguos sistemas de representación no consiguen formalizar. Al admitir la enarmonía y la entropía como fuerzas dominantes, los artistas suplantan los recursos artificiales de armonización por una multiplicidad operativa que permita figurar un universo deformable en dinámico revoltijo, optan por la transcripción directa de la caótica heterogeneidad de lo real, por la multidimensionalidad y la multidireccionalidad; optan por la mezcla y la profusión, por las coexistencias insólitas, por los sobresaltos, por las articulaciones fracturadas; optan por la estética del vértigo y del tumulto, abierta a las potencias desfigurantes, a los excesos no codificables, a lo irracional.

Las aleatorias superposiciones de imágenes dispares, la concurrencia de lo disímil en movimiento y mutación permanentes, el entremetimiento de simultaneidades con continuo cambio de foco y marco, el desarreglo de la apariencia superficial, los entrecruzamientos e ingerencias entre el tiempo diegético y los vaivenes de la conciencia practicados por Vicente Huidobro y César Vallejo se adscriben más a la estética de lo discontinuo y lo fragmentario, considerada en sentido lato, que al collage propiamente dicho. Si bien no hallamos en la producción vanguardista de Huidobro, la que va de *Horizon Carré* a *Altazor,* ni en *Trilce,* la inserción de recortes de discursos preformulados, la incorporación reconocible de extractos de otros textos, la concepción del montaje es semejante a la del collage. Por igual, se basa en los contrastes simultáneos, en la configuración heterotópica, en la variabilidad formal, focal, tonal, en los ritmos quebrados y en las rupturas de articulación. El poema resulta mosaico móvil, montaje de secuencias fragmentadas, estallido en astillas o añicos, ensambladura galáctica de lo diverso y lo disperso.

Huidobro adopta la diagramación del afiche, incluye variantes tipográficas, impone distingos en el tamaño de las letras, desmantela la columna versal, la bifurca, la ramifica; las palabras se escalonan, se alzan, se inclinan, se juntan o desperdigan para que el espacio pierda su pasividad de mero soporte y se torne activo emisor del mensaje, ahora visoaudiomotor. A partir de *Horizon carré* aparecen esos versos en grandes mayúsculas, destacados como leyendas, que remedan el grandor jerárquico del anuncio publicitario o de los titulares de periódico y que recuerdan las inscripciones de los collages cubistas. A veces se reducen a una sola palabra, se inclinan y se sitúan al costado, como etiquetas o *papiers collés,* completamente aislados del texto central, fuera del encadenamiento discursivo, fuera de encuadre.[4]

Ecuatorial implica la inmersión completa en el contexto collage ampliado a escala universal, no tanto porque recomponga retazos de mensajes preformados sino

4. Las leyendas aparecen netamente en «Orage», y «Nouvel an» y «Drame» de *Horizon carré;* en «Exprés» y «Vermouth» de *Poemas árticos.*

por el carácter fragmentario y aleatorio de su combinatoria, por su libertad estructural, por su poder proteiforme que juega con marcos referenciales y modos de enunciación rivales hasta desbordar todo encuadre para que los signos recobren su albedrío. *Ecuatorial* hace cohabitar regímenes de articulación fundamentalmente distintos, textualidades heteróclitas dispuestas en un decurso accidentado donde abundan los hiatos. Los cortes, desvíos, desniveles lo convierten en un cúmulo hiperactivo, en una plétora de acontecimientos semánticos de valor mudable, en campo de fuerzas en pugna, en un abrebrechas poéticas.

Ecuatorial transmite una visión cinemática. Huidobro practica aquí una técnica de composición semejante a la del montaje del cine moderno, que se sitúa dentro de la misma encrucijada estética y que nace a la par del collage. Las primeras muestras de esta nueva sintaxis fílmica son «El nacimiento de una nación» (1915) e «Intolerancia» (1916) de David W. Griffith; su apogeo se produce poco después, con Vsevolod Pudovkin y Sergei Eisenstein hacia 1925. Se trata también de un arte de la pegadura, de montar una parataxis de pasajes que fragmentan rítmica y expresivamente la sucesión verista mediante rupturas del tiempo, contraste de planos, movilidad focal, cambios de encuadre, irrupciones sorpresivas, contrapuntos temáticos.

La publicación de *Ecuatorial* (1918) coincide con el surgimiento del dadaísmo, que halla en el collage la manifestación más acorde con su estética. Los plásticos dadaístas —Marcel Duchamp, Man Ray, Raoul Hausman, George Grosz, Hanna Höch, John Heartfield, y sobre todo Kurt Schwitters y Max Ernst— establecen el módulo más característico del collage, el paradigma formal que más se extiende y perdura. El collage dadá proviene visiblemente del contexto de la urbe moderna. Refleja la vertiginosa vorágine, el acelerado maremagno, la suma de fugaces estímulos de la metrópolis multitudinaria en la era industrial. El collage dadá nace con la quiebra de una sociedad y el quebranto de una cultura, nace de un cataclismo, nace con la posguerra. Nace con el desquicio de la razón armónica, con el dislocamiento de las relaciones humanas, con la ruptura del orden y de las solidaridades seculares, con el estallido de las estructuras del mundo solariego. Nace a partir de una excepcional tensión histórica, de cambios de escala traumáticos, de la entrada del hombre en el reino de la vida fraccionada, en una realidad cambiante e insustancial, en una existencia precaria ligada a una temporalidad sin trascendencia. Nace como negación del mundo oprimente, como rechazo de los convencionalismos burgueses, como anti-arte, como contra-cultura, como revolución jocosa, como apoteosis burlesca de lo dispar, de la desmesura y del dislate.

Dadá opera una instalación negativa en el seno de la civilización tecnológica, cuyos recursos utiliza para subvertirla. Aprovecha de los medios de difusión masiva, de los nuevos materiales industriales, de la iconografía popular, de los signos manifiestos de modernidad para trastocarlos, revolverlos, revertirlos por tratamiento irónico o humorístico. El arte opera como reducción al absurdo, como puesta en abismo, como mundo al revés, como espejo deformador, como desintegrador de apariencias. Los collages dadaístas muestran una ilimitada capacidad de absorción de elementos ambientales, se abren de tal modo a lo circunstancial y circundante que pulverizan toda frontera entre lo artístico y lo extrartístico. El principio de selección deja de ser jerárquico y pasa a operar sobre toda la extensión de materiales disponibles, sobre toda la amplitud de lo real. El arte se autoexpulsa de su propiedad privada para dejarse invadir por la turbamulta pública. Las disparidades, las desproporciones y las oposiciones del mundo de todos van a constituirse en fundamento del collage dadá.

Estética de lo absurdo y aleatorio, dadá valora lo incidental, lo accidental, lo gratuito. Convierte al artista en coleccionista de lo fortuito, en el recolector de todo lo aprovechable, en el explorador de lo residual. El collage dadá marca netamente el ingreso del arte en la cultura del consumo que es a la vez cultura del despilfarro y del desperdicio. Los *Merzbilden* de Schwitters son los signos inaugurales del *jonk-art* o *trash-art*; están confeccionados con desechos. El arte abandona sus pretensiones de permanencia, se vuelve intervención ocasional, performance pasajera hecha con materiales perecederos. Importa más la visión, la conducta artística que la producción de un objeto al servicio del sistema de promoción y venta del arte. Abolida la diferencia entre materia noble y materia plebeya, entre lugar consagrado y lugar profano, y el arte puede aplicarse a cualquier soporte y ejercerse en cualquier ocasión. Arte de actitud, se confunde con el vivir.

Marcel Duchamp aplica su ironía y su reflexión paradojal a la presentación de sus *ready-mades.* Se apropia artísticamente de objetos de uso común (perchero, rueda de bicicleta, portabotellas, mingitorio); los saca de su contexto de origen (al cual continúan remitiendo) y los propone a una percepción formal desinteresada. Los parentescos con el collage resultan notorios. En 1918, el mismo año de *Ecuatorial* y *Poemas árticos,* Duchamp se despide de la pintura sobre tela con su «Tu m'...», especie de antología o resumen de su obra. Allí aparecen los *stoppages étalon* (curvas descriptas por un hilo de un metro de largo caído desde un metro de altura sobre una superficie horizontal), las sombras en proyección anamorfósica de algunos de sus *ready-mades,* efectos de perspectivas geométricas, contrastes desconcertantes entre ilusión y realidad: una desgarradura pintada, trampantojo enganchado con broches corpóreos, una escobilla verdadera plantada verticalmente sobre la tela. El aditamento de broches y escobilla convierten a esta obra en auténtico collage. «Tu m'...» es la suma de los procedimientos figurativos empleados en la historia de la pintura para crear la ilusión de realidad y a la vez su reversión humorística, su destitución irrisoria. Por entonces, Tristan Tzara traslada la fórmula de los papeles pegados al campo poético, a la vez que aprovecha de las manipulaciones arbitrarias practicadas por dadá. La composición está completamente confiada al azar, cuya incomparable capacidad de impertinencia provoca la apertura liberadora de sujeciones tanto referenciales como nocionales. He aquí las instrucciones de Tzara para la confección de un poema dadá: «Tome usted un periódico y una tijera. Elija un artículo de periódico que tenga la longitud que quiera dar a su poema. Recorte el artículo. Recorte cuidadosamente cada palabra e introdúzcala en un cucurucho. Agítelo. Saque un papel tras otro y establezca una secuencia. Cópiela El poema se parecerá a usted. Así usted se convertirá en un escritor de una inigualable originalidad y encantadora sensibilidad, aunque incomprendido por el gran público».[5] Esta escritura aleatoria combina en Tzara y en Hans Arp con las lecturas simultáneas, los conciertos fonéticos y los poemas onomatopéyicos, manifestaciones de un trabajo sobre

5. George Hugnet, *Dictionnaire du Dadaïsme,* París, Jean-Claude Simoën, 1967, p. 270.

la lengua como energía autónoma no sujeta a ninguna razón de uso. Por su parte Raoul Haussmann comienza a construir sus collages exclusivamente con imágenes impresas, recortadas de periódicos, que somete a un tratamiento considerado por él como cinematográfico. Mezcla lo macro y lo micrométrico para descompaginar las proporciones, pone en juego una gran heterogeneidad icónica para provocar superposiciones en constante ruptura. Anima el espacio mediante la intercepción y la interpenetración de los fragmentos. Incita al ojo a continuos desplazamientos (como los travellings de la cámara fílmica) promovidos por la diversidad de señales, por la movilidad dimensional, por el carácter expansivo del campo visual que rompe todo encuadre estable, por los efectos de sorpresa de las contigüidades inusitadas. Si por un lado es un arte que retoma los lugares comunes, los estereotipos figurativos del entorno colectivo, y por el otro, ejerce una irreverente utonomía que desvía el material y el sistema inicial de sus funciones ordinarias. Los signos, desafectados de su servicio convencional, comienzan a vibrar en un espacio inquietante, impelidos por los choques y los engarces provocadores. Hanna Höch, en «Cortado con el cuchillo de cocina en la última época de la cultura de las panzas llenas de cerveza de Weimar» ensambla imágenes urbanas —multitudes, rascacielos— con implementos mecánicos —rulemanes, ruedas, torres, vehículos— para crear un torbellino gráfico donde los poderosos del pasado inmediato —Guillermo II, Hindenburg y el príncipe heredero de Prusia— cohabitan con los nuevos ocupantes del poder en una comparsa carnavalesca con bailarines, deportistas, payasos, maniquíes y leyendas dadá. Ya para entonces, George Grosz y John Heartfield habían inventado el fotomontaje y comenzado a emplear en sus collages materiales de impresión fuera de uso —tipografía antigua y viñetas pasadas de moda.

Kurt Schwitters se embelesa con los basurales, donde hurga en busca de residuos aprovechables para sus collages. Compone ensamblajes exclusivamente con materiales de desecho, que recoge en los lugares más comunes de la vida cotidiana. Con Schwitters queda por completo abolida la noción de materia noble y la perdurabilidad deja de ser un valor artístico. En 1919 emprende su obra MERZ, término que proviene de un doble recorte, el de un anuncio del KOMMERZ UND PRIVAT BANK y el de la palabra KOMMERZ, cuya segunda sílaba va a designar todas las prácticas estéticas de Schwitters: *merzbilden, merzrelief, merzbühne, merzzeichnung, merzmosaik.* Estos montajes de elementos residuales culminan en la *Merzbau* o columna Schwitters, inmensa construcción que va invadiendo su casa de Hannover, desde el sótano hasta el piso superior. Pero lo más importante de la actividad de MERZ son los papeles pegados. Schwitters percibe el mundo como una acumulación de materias, texturas, formas, signos directamente incorporables a las construcciones MERZ. Recolecta todo lo que encuentra a su paso —impresos, papeles de envolver, restos de telas, hilos, tarjetas postales, boletos, etiquetas, sellos de correo, sobres, billetes— y con su colección de desperdicios compone montajes geométricos de un cromatismo matizado y refinado, que tienen el doble carácter de abstracciones plásticas y de registro evocador de la cotidianeidad del artista. Esta estética de la mixtura que combina lo gráfico con lo textual, la practica también en su poesía donde priman los efectos visuales y fonéticos. Schwitters concibe la obra de arte como una totalidad dinámica con una infinita capacidad de correlación e integración; la prueba la dan estas instrucciones para celebrar una orgía MERZ: «Tómese un torno de dentista, una máquina de picar carne, omnibuses, automóviles, bicicletas, tándems y sus respectivos neumáticos, así como repuestos de la época de la guerra y defórmense. Tómese luz, deformándola de la manera más brutal. Háganse chocar locomotoras, déjense bailar cortinas y antepuertas de ventanas suspendidas de una telaraña, etc., y rómpase un vidrio que trepida. Hágase explotar una caldera de vapor para obtener humo de tren. Tómense enaguas y otras cosas parecidas, zapatos, pelo postizo, patines y tírense sobre el lugar adecuado, al que pertenecen, en el momento justo. Tómense también cepos, disparos, máquinas infernales, el pez de hojalata y un embudo, todo ello en estado de deformación artística. (Recomiendo especialmente las mangueras.) Resumiendo: tómese todo desde la red del pelo de la dama distinguida, hasta el tornillo del emperador, según las dimensiones que nos exija la obra en cada ocasión».[6] En Schwitters el collage es mucho más que un módulo formal o un arte combinatorio; es

6. Herta Wescher, *La historia del collage. Del cubismo a la actualidad,* Barcelona, Gustavo Gili, 1976, p. 122.

una visión que condiciona toda su experiencia del mundo.

La misma calidad plástica o parecido empeño en trascender la inmediatez de los materiales empleados mediante una configuración que los proyecta al orbe de lo estético, hallamos en los collages de Max Ernst. Como Schwitters, Ernst quiere desbordar el arte de Attelier, busca instalarse en un más allá de la pintura que invalide la noción de estilo. Para ello, se ejercita en una disciplina de negación de las reglas, los comportamientos y las ideologías artísticas tradicionales. Apela a la puesta en ridículo, a la reducción al absurdo, a la creación sarcástica, a los recursos de revolvimiento y reversión dadaístas. Como Schwitters, transporta su conciencia formal al terreno de la imaginería de consumo masivo. Las posibilidades de aprovechamiento de este material remanido se le revelan de pronto en un día lluvioso de 1918, mientras hojea uno de esos inventarios del mundo, un catálogo ilustrado de materiales pedagógicos, con reproducción de objetos para demostraciones antropológicas, mineralógicas, paleontológicas, microscópicas, psicológicas. Tanta diversidad de figuras extrañas provoca en él, una euforia súbita, una inspiración visionaria. Ve un desfile alucinante de imágenes que concitan encuentros fortuitos en planos desconocidos («en el plano de la inconveniencia» —como dice Ernst). Extrae las reproduciones del catálogo y, mediante recursos simples como el coloramiento de un fondo o de un suelo, una recta para definir un horizonte lejano, las implanta en un paisaje extraño. Así, sus alucinaciones hallan el vehículo figurativo que les permite exteriorizarse y transforman las páginas de un catálogo publicitario en grafodramas que revelan los deseos más íntimos.

Así comienza Ernst a aprovechar de las imágenes impresas en su búsqueda de los choques metafóricos, de los deslumbrantes matrimonios provocados por avecinamientos inéditos. Practica con lo sólito una libertad de asociación que anula, por lo extremada, por extravío y extrañamiento, las determinaciones fácticas, históricas y culturales. Sus collages recrean lúdicamente un universo imaginario reordenando los componentes del mundo disponible. Esta redisposición, promovida por la ironía de dadá, por su visión paradójica, por la reversión lúcida, por la reducción al absurdo que lo desembarazan de restricciones mentales y de inhibiciones empíricas, admite la presencia figural del mundo exterior y a la vez lo descompagina para imponerle una separación poética, una suspensión y un remudamiento estéticos. En Ernst, esta técnica permisiva, tan propensa a la profusión, no desemboca en la promiscuidad universal. En Ernst obra siempre la reducción sintáctica, necesaria para infundir a las imágenes el halo de lo enigmático, el aura ensoñadora, el estado de levitación o la dimensión fantástica que caracteriza a sus montajes. «Ici tout est suspendu», según el título de uno de sus collages.

En 1919 empieza a trabajar en la imprenta Hertz de Colonia, donde diseña las publicaciones dadaístas. Allí descubre las posibilidades de nuevas técnicas como la sobreimpresión de clichés, de gruesas letras de madera sobre fondos impresos, el fotocollage, la ensambladura de grabados sobre madera. Mediante estos variados recursos, siempre a la pesca de ese azar objetivo que propicia el encuentro de casualidades externas con finalidades íntimas, Ernst compone sus libros-collages: *La femme 100 tetes* (1929), *Reve d'une petite fille qui voulait etre au Carmel* (1930), *Une sémaine de bonté ou Les sept éléments capitaux* (1934). Amplía tanto las posibilidades del collage, propone un registro tan vasto que, a partir de Ernst, el término collage comienza a aplicarse a toda composición que combina componentes de distinta provenencia sin que pierdan su extrañeza. Y es justamente el efecto de extrañamiento (la *ostranenje* de los formalistas rusos) el motor de las junturas o ayuntamientos disyuntos del collage, de esa descontextualización sorprendente de fragmentos que no cesan de referirse al contexto de origen. El desarreglo óptico producido por las perspectivas anómalas y la agresión iconográfica de un conjunto comprensible en sus partes pero no en su componenda, más el uso de títulos impertinentes que extreman el desvío o desvarío, que excentran o desenfocan toda posible objetividad, crean relaciones herméticas, proyectan lo ya o siempre visto (imaginería popular, ilustraciones de novelas por entrega, catálogos técnicos) hacia una dimensión transóptica, producen una propulsión metafórica y por ende metafísica: ponen lo conocido en estado de gracia. De sentido tránsfuga, los collages de Ernst no se dejan domesticar.

Los títulos de Max Ernst —como aquel con que designa un armatoste fantástico, montado con recortes de grabados de máquinas industriales: «Maquinita autoconstruida por minimax dadamax, para desempolvar sin temor escudillas, femeninas aspirantes al principio de la menopausia y otras intrépidas funciones»— constituyen otra intersección de lo visual con lo verbal, de lo pictórico con lo poético. El collage va a ser tan prolífico en la literatura como en las artes plásticas. Los experimentos de Apollinaire inauguran una continua aplicación de este dispositivo a todos los géneros literarios, una nutrida y diversa descendencia. La práctica de los cadáveres exquisitos, transferida de los dadístas a los surrealistas, es básicamente una aplicación del collage, del montaje stocástico de palabras recortadas propuesto por Tristan Tzara. La creación de imágenes fulgurantes a partir del choque de máximas heterogeneidades parte del mismo principio que el collage.

Creo que 1922 es el año de la crucial encrucijada del collage. Es el año de la publicación de *The waste land* de T. S. Eliot, del *Ulysses* de James Joyce y, en nuestro ámbito, de *Trilce* de César Vallejo (modelado más por la poética de lo discontinuo y fragmentario que por el módulo collage en sentdo estricto). Tanto Eliot en poesía como Joyce en la narrativa dilatan la capacidad de este procedimiento que Apollinaire había ya empleado como símbolo de la vida moderna. Para Eliot y Joyce el collage es también imagen del mundo, recurso multiforme y multívoco para representar una totalidad profusa y confusa en continuo movimiento.

El relato limítrofe

a Dante Carignano

Me inquieta el concepto de cuento e inquiero aquí acerca de una estirpe de textos híbridos, de andróginos que se sitúan en un campo fronterizo entre canto y cuento, que instrumentan en grueso materia narrativa pero que parecen refractarios a esa maquinación particular, calificada propiamente como cuento. Quizá el primer precedente moderno de esta familia literaria fueran las fantasías del *Gaspard de la nuit* de Aloysius Bertrand, que Baudelaire quiso imitar en *Le spleen de Paris*. Entre sus exponentes contemporáneos de neto cuño vanguardista, se encuentran *Le cornet à dés* de Max Jacob, las *Tres inmensas novelas* de Vicente Huidobro y Hans Harp, y el objeto de esta requisa: *Espantapájaros* (*Al alcance de todos*) que Oliverio Girondo publicara en 1932.[1] Sus veinticuatro piezas, numeradas y sin título, oscilan entre los polos narrativo y poético, pero sólo dos se alinean nítidamente en las categorías poema y cuento. (Ambas se sitúan en posiciones simétricas, la una es la decimosegunda, la otra, la vigesimocuarta.) Esta última relata los efectos de la irreprimible obsesión por lo mortuorio que abate a los habitantes de cierta ciudad. Su gente se refugia en el misticismo o en la lujuria; rezan o fornican, se dan a la piedad o al vicio. Los excesos de devoción o de libertinaje demacran los cuerpos haciendo resaltar el esqueleto. Cunden las modas fúnebres, se imponen las indumentas de difunto; las músicas y los bailes se vuelven macabros; todo adquiere una frigidez cadavérica. Causa estragos una epidemia de suicidios colectivos y, por emulación, todos aspiran a concebir suicidios inéditos:

1. Las indicaciones de página van entre paréntesis y corresponden a Oliverio Girondo. *Obras completas*, Buenos Aires, Losada, 1968.

> Una familia perfecta —una familia mejor organizada que un baúl «Innovation»— ordenó que la enterrasen viva, en un cajón donde cabían, con toda comodidad, las cuatro generaciones que la adornaban. Ochocientos suicidas, disfrazados de Lázaro, se zambulleron en el asfalto, desde el veinteavo piso de uno de los edificios más céntricos de la ciudad. Un «dandy», después de transformar en ataúd la carrocería de su automóvil, entró en el cementerio, a ciento setenta kilómetros por hora, y al llegar ante la tumba de su querida se descerrajó cuatro tiros en la cabeza (204).

El desaliento se generaliza. Inercia e inanición. El silencio y la peste se apoderan por completo de la ciudad. Sobrevuelan aeroplanos arrojando vitaminas y afrodisíacos, pero es tarde: la población ha quedado reducida a seis o siete moribundos recalcitrantes. Entonces se ordena arrasarla de cuajo para que no se propague la pestífera conciencia de muerte.

Resumo el argumento para mostrar que se trata, en principio, de un cuento por la simple razón de que se puede contar. Hasta me tienta la fórmula aforística (elemental, algo boba y taxativa): *cuento es lo contable.* Como en muchos otros textos de *Espantapájaros,* el motor fáctico, la fuerza impelente es la hiperbólica. El relato opera por irreprimible amplificación de una facultad o un estado, de una noción o un sentimiento que normalmente interviene dentro de la economía psíquica como factor en interacción controlable con los otros. Aquí se libera, impera, se vuelve preminente, omnipotente hasta abolir a todo oponente. No hay norma, no hay medida, no hay cordura: nada regula, nada remedia su generalización.[2]

El texto vigesimocuarto se constituye como relato. Progresivo, se abre y se cierra en el tiempo diegético, según una concatenación que se origina y se efectúa siguiendo una clara línea causal. El punto de vista es coherente, es el más común: el del narrador omnisciente, omnipresente que testimonia acerca de un acaecer no como sujeto de la aventura sino como testigo no identificado. La ubicación se concentra en una uni-

2. V. Saúl Yurkievich, «Borges/Cortázar: mundos y modos de la ficción fantástica», *Revista Iberoamericana,* n.ºs 110-111, enero-junio de 1980, pp. 153 y ss.

dad de lugar y el tiempo narrativo se comprime en un relato puro nudo, con poca digresión y cuyos índices, cuyos informantes están dotados de máxima funcionalidad. El relato simula ser relación histórica; supone hechos ocurridos en algún pasado, eventos que se consignan retrospectivamente remedando la ilación histórica con sus paralelismos entre las líneas temporales y las causales. Practica un neto encuadre para enmarcar un microuniverso y dotarlo, mediante un encadenamiento conjuntivo, de una figura cohesiva, cuya coherencia semeja ser una extensión de la del macrouniverso; o mejor dicho, de modo tal que coherencia interna y coherencia externa parezcan intercambiables (como si historia literaria, historia humana e historia natural fuesen equivalentes).

En el polo opuesto de *Espantapájaros* están los textos que adoptan visiblemente una prosodia poética. El 13 es el único poema en verso. Poema modular, cada verso repite la misma matriz, consiste en un trío de acciones recíprocas:

> se miran, se presienten, se desean,
> se acarician, se besan, se desnudan,
> se respiran, se acuestan, se olfatean,
> se penetran, se chupan, se demudan,
> se adormecen, despiertan, se iluminan, (...) (179).

Guerra de amor: sujeto y objeto, intercambiables, se involucran en la arquetípica pareja sexual. A pesar de establecerse sobre una sucesión de acciones, este texto está más lejos que todos los otros de lo narrativo; no concatena una progresión narrativa. Circular, se liga a la noción de ciclo rítmico y de rito mítico, a la de una escanción que configura un modelo intemporal y que le infunde un palpitar, un aura simbólica que le hacen trascender la esfera histórica. Metaforiza las acciones y pasiones de fisis, pneuma y logos sometidos al juego universal de atracciones, entregas y rechazos.

Parece un texto actancial, pero se abre y desplaza demasiado como para urdir relato. Su figura fónica recurrente engendra esas isotopías extrapolables a todos los niveles; se liga mucho más al canto que al cuento. No contiene anécdota, no se sitúa en el plano de lo eventual. Pone su ahínco verbal en lo figurativo, afinca en lo musical, en lo emotivo y expresivo. Nada puede aislarse: su soporte y su mensaje indisolublemente solidarios, es intransferible a otro medio, es intraducible, es inenarrable.

Los textos restantes están todos escritos en prosa. El séptimo, a pesar de su prosodia prosaria, entra también de lleno en lo poético. Se instrumenta a partir del inventario o de la colección. Su *leitmotif*: el todopoder del amor. Consiste en una enumeración tan vasta como dispar del efecto imperioso y posesivo de esta energía que todo lo involucra en una concertación expansiva. Un eros verbal, eros vocal, eros bucal concita sobre los fonemas la misma emparejadura, la misma adhesión que la significancia suscita en el nivel significativo.

Los otros textos se asientan en una zona incierta, desde el punto de vista de su atribución a un género netamente constituido. Todo intento de clasificación que tienda a endilgarles un rótulo rotundo se mete en un atolladero categorial del cual es difícil salir bien parado. Me pregunto en qué zona operan aquéllos, la mayoría, donde aparecen manifiestos los ingredientes narrativos, donde en grueso la materia prima es calificable de narrativa, pero que no adoptan la configuración del cuento; rehúsan el módulo de composición, el encuadre, la disposición, los recursos de localización y de caracterización, la concatenación, las determinaciones fácticas, el tipo de engarce o enlace cuentísticos. Por de pronto, estos textos escapan a la cohesión (no a la compresión), a la rigurosa congruencia, a la precisa interdependencia de las partes, a la ajustada mecánica del cuento. No simulan historificarse, no fingen instalarse en geografías y cronologías localizables, no guardan el equilibrado paralelismo entre el hilo causal y el hilo temporal, ni una prudente interrelación entre espacio interior y espacio exterior. No representan un microcosmos unitario que aparezca como recorte del macrocosmos, no presuponen una continuidad habitual entre texto y entratexto, entre la letra y el universo iletrado. No respetan las separaciones o los cortes diferenciadores entre exterior e interior, sujeto y objeto, conciencia y mundo. Sin transición, provocan toda clase de tránsitos, transferencias, trasmutaciones, una irrestricta intercomunicación, con todos los pasajes de ida y vuelta entre hombre, cuerpo individual, cuerpo social, naturaleza y orbe objetual. La representación es demasiado proteica, demasiado metamórfica, y la causalidad, demasiado lábil, demasiado hilozoísta para dejarse enfilar por la ilación del cuento:

> Mis nervios desafinan con la misma frecuencia que mis primas. Si por casualidad, cuando me acuesto, dejo de atarme a los barrotes de la cama, a los quince minutos me despierto, indefectiblemente, sobre el techo de mi ropero. En ese cuarto de hora, sin embargo, he tenido tiempo de estrangular a mis hermanos, de arrojarme a algún precipicio y de quedar colgado de las ramas de un espinillo.
>
> Mi digestión inventa una cantidad de crustáceos, que se entretienen en perforarme el intestino. Desde la infancia, necesito que me desabrochen los tiradores, antes de sentarme en alguna parte, y es rarísimo que pueda sonarme la nariz sin encontrar en el pañuelo un cadáver de cucaracha (167).

El inmediato y excesivo cúmulo de posibles narrativos provoca tanta apertura, una tal proliferación factual que en lugar de la cuerda que se va tensando gradualmente, del hilván filiforme, del planificado desarrollo argumental sobre la base del esquema preparación, nudo y desenlace, tenemos una conformación radiante que se propaga en todo sentido, algo así como un prolífico protoplasma narrativo. Esta profusión de microrrelatos en estado embrionario no implica que la prosa que los engloba no tenga el acabamiento de toda escritura que aspira al estatuto de obra de arte verbal. Por el contrario, los textos de *Espantapájaros* están francamente conformados; cada uno constituye una secuencia autónoma que contiene en sí toda la información necesaria para desgajarse como unidad autosuficiente, sujeta a un despliegue reglado que casi siempre se clausura con recursos de conclusión bien terminantes. El problema de la no pertenencia a la categoría cuento no está en el perfilamiento o figura externa del discurso sino en el diseño interno, no en la lexis sino en el logos.

Abanico de virtualidades, el potencial narrativo queda en estado germinal, como una mostración de eventualidades que no alcanzan a urdir historia, como una pululación de ocurrencias que no buscan más que desencadenarse y dispararse desechando la opción de entretejer la trama o intriga propias del cuento. En Girondo se ejerce la voluntad de fabular pero no la de historiar. *Espantapájaros* no se deja reglamentar por el mecanismo de relojería del cuento, sujeto a una preceptiva demasiado restricta, demasiado disciplinaria. Tomemos por ejemplo la prosa 17 donde se relata un coito bestial con una criatura demoníaca:

> Me estrechaba entre sus brazos chatos y se adhería a mi cuerpo, con una violenta viscosidad de molusco. Una secreción pegajosa me iba envolviendo, poco a poco, hasta lograr inmovilizarme. De cada uno de sus poros surgía una especie de uña que me perforaba la epidermis. Sus senos comenzaban a hervir. Una exudación fosforescente le iluminaba el cuello, las caderas; hasta que su sexo —lleno de espinas y de tentáculos— se incrustaba en mi sexo, precipitándome en una serie de espasmos exasperantes (189).

Las propensiones de una imaginación sexualmente exacerbada están aquí libradas a su energía primigenia, a la espontaneidad pulsional que puja por convertir al texto en volcán icónico, que explota al máximo el poder ficcional de la palabra sin dejarse encadenar por los alineamientos causales de una intriga historiada.

Texto de pura acción, está formalmente muy modelado, pero son tantas las incertidumbres en una tan corta extensión que, a pesar de la unidad de tiempo y de lugar y de una franca progresión con tensión y con suspenso, no teje historia. La indeterminación, el creciente enrarecimiento, el juego aliterante, la perversa, la lujuriosa pujanza figurativa, la lubricidad lo vuelcan del lado poemático. La fuerza que lo plasma es onirogenética, es ritmicomelódica. La cadencia, la orquestación, el primado de las transferencias metafóricas expulsan la temporalidad mundana. Absuelto de las restricciones empíricas, transfigurado por el tratamiento musical que, por debajo de los cortes y separaciones gramatológicas, entabla su propia concertación sonora, traspuesto por la suelta de los sentidos figurados, trascendido por la fuga de los sentidos traslaticios, el texto se vuelve pleno acto de lenguaje, colmo que actualiza toda su capacidad de irradiación simbólica. No sometido a situación de uso, se instala en el dominio del anhelo y del miedo primigenios, en una intemporalidad a la vez ideal y somática, en la zona fantasmagórica donde imperan las potencias insensatas del delirio y del éxtasis.

Como casi todos los textos de *Espantapájaros*, el decimoséptimo no es un cuento porque no se puede contar. Si se lo considera promovido por una visión nuclear de tipo narrativo, su desarrollo no es argumentable: no trasunta una anécdota, una relación separable del discurso. La trama significativa opera sólo en función de ese soporte lingüístico, es intransferible e intraducible a otro medio.

Poder nefasto de alguien o de algún ámbito que provoca accidentes en catastrófica progresión, vínculo de consanguineidad, vértigo de solidaridad irresistibles en cósmica apropiación, sublimación que a todo transfigura, transmigración a través de metamorfosis sin fin, irrefragable desdoblamiento de personalidades, máxima preñez de posibilidades, llantos o patadas sin cesar acrecentados:

> Cuando comienzo a dar patadas, es inútil que quiera contenerme. Necesito derrumbar las cornisas, los mingitorios, los tranvías. Necesito entrar —¡a patadas!— en los escaparates y sacar —¡a patadas!— todos los maniquíes a la calle (...). A patadas con el cuerpo de bomberos, con las flores artificiales, con el bicarbonato. A patadas con los depósitos de agua, con las mujeres preñadas, con los tubos de ensayo (181).

La mitad de los textos se instrumentan a partir de un núcleo actancial que de inmediato, por extensión irrefrenable, prolifera hasta ocupar todo el transcurso, invade todas las instancias que median entre protagonista y mundo y no hay coto que impida la expensibilidad universal.

Tales textos, asimilables grosso modo al campo narrativo, no son cuentos porque no se pueden contar. Su autor ha descartado el molde cuento para no dejarse confinar por un modelo demasiado supeditado a las determinaciones fácticas, inherentes a nuestra figuración de lo real. En efecto, el cuento es un género de reciente constitución, cuya contextura fue básicamente estructurada por el realismo decimonónico. Está por ende sujeto al sistema simbólico de la visión naturalista y psicológica que presupone una continuidad entre la palabra figuradora y el universo figurable, acciones y actuantes encuadrados dentro del marco de las conductas factibles y las conciencias concebibles. El cuento propiamente dicho se quiere simulacro realizante.[2] Por eso Borges titula a sus relatos *Ficciones*, para que no se los meta de lleno en la categoría del cuento, calificativo que en general elude; en el prólogo los designa vagamente como «piezas», la una policial, las otras fantásticas. Y Cortázar niega la categoría de cuentos a los episodios de *Historias de cronopios y de famas* pues, por fantasear demasiado o por afán de travesura, no cumplen con los reglamentarios requisitos de ese artefacto de precisión, de ese dispositivo mecanicista, empirista, conductivista que es el cuento.[3] (Muera el cuento.)

Creo que Girondo, como otros escritores vanguardistas, vuelve, para romper ataduras, a estados narrativos anteriores a la cerrazón del cuento realista o cuento propiamente dicho. Vuelve a las mixturas que provocan una franca interpenetración de géneros (de poiesis y diégesis), del contar con el cantar; o vuelve a lo que André Jolles llama las formas simples.[4] O Girondo, polarizado por lo poético, prolonga la genealogía de las fantasías o *rêveries* de los simbolistas, para oponerse a las oprimentes coacciones y reducciones de lo real admisible; o retoma antiguas opciones que le permiten un trato desembarazado con lo fabuloso.

La lectura de *Espantapájaros* evoca especies literarias momentáneamente eclipsadas por el cuento. Algunos textos parecen entrar en el ámbito de la fábula, del ejemplo o apólogo, como el 16, donde el locutor goza de la facultad de transmigrar, de una total aptitud de evasión, de una simpatía universal que le permite consubstanciarse con la creación por entero. Otro grupo es, en sentido lato, anexable a la leyenda, y encuentra

2. V. Saúl Yurkievich, «Borges/Cortázar: mundos y modos de la ficción fantástica», Revista Iberoamericana, N.os 110-111, enero-junio de 1980, p. 153 y ss.
tsburgh. N.os 110-11, enero-junio de 1980, pp. 153 y ss.

3. En Pierre Lartigue: «Contar y cantar. Entrevista a Julio Cortázar y Saúl Yurkievich», *Vuelta*, n.º 17, abril de 1978, p. 51.

4. André Jolles, *Formes simples*, col. Poétique, Paris, Editions du Seuil, 1972. Según Jolles, las formas simples son gestos verbales donde lo vivido cristaliza y se modela bajo el influjo de cierta mentalidad.

6

su realización cabal en el texto 15; narra la vida de gradual renunciamiento de un asceta, su desgano creciente por conciencia de la inutilidad de cuanto existe, su deseo de inmovilizarse hasta que se convierte en una piedra del camino. Aquí se detecta el modelo de vida de santo a la manera de *La leyenda áurea* de Jacques de Voragine, relación de la existencia de un individuo, arquetipo a emular o a execrar, en quien el bien o el mal se encarnan de modo ejemplar. Los textos 17 y 22, sobre la súcuba o la mujer con sexo prehensil, traen francas reminiscencias de remotas demonologías. Quimeras, graltes o patrañas, los textos de Girondo es mejor interpretarlos sin empeño clasificatorio. Escapan a cualquier taxonomía retórica.

Dimanan de la memoria medular, de la matriz traslaticia que subyace a las atribuciones y distribuciones del orden histórico. Girondo dice figurativa y fónicamente el vértigo del advenimiento pulsional, el aflujo que viene del trasfondo entrañable, del depósito mítico, a subvertir las represiones del mandato económico, la cordura del orbe laboral. Girondo dice en el juego verboso, a través de la palabra excéntrica, el pujo proteiforme, el loco revoltijo; metaforiza las confusas mezclas y las metamorfosis incestuosas de la imaginación instintiva. Si alguna historia narra, es la de adentro, la intrahistoria, la libidinal, coextensiva y consubstancial a la de afuera. Y su relación con esta generadora de ensueño y pesadilla, con esta historia de lo que es refractario al sentido, de lo que se pierde con el acceso al lenguaje, su relación con esta potencia fantasmática no es de causalidad sino de expresión, no es de cuento sino de canto.

62, Modelo para armar enigmas que desarman

62, *Modelo para armar* es una secuela de *Rayuela* y las concomitancias entre ambas novelas son muchas más y más raigales que las que saltan a la vista. Toda la obra novelesca de Julio Cortázar proviene de un mismo proceso genético, está presidida por parecida poética y producida por procedimientos semejantes. *Los premios* es el apronte premonitorio; *Rayuela* consuma el acuerdo entre visión y medios de representación; el *Libro de Manuel,* a la par que cierra el ciclo rayuelesco, provoca la apertura a lo politicosocial.

Puesta en práctica de las propuestas narrativas de Morelli —ese *alter ego* teorético de Cortázar— *62* prosigue el intento de reversión del relato realista, persiste en el rastreo mántico en busca de una nueva condición humana, y lo radicaliza. También en *62* el código de conducción es negativo; guiado más por la contravención que por el acatamiento de las convenciones psicológicas, persigue una cierta insensatez de superficie capaz de provocar la entrevisión de otra congruencia que la causalidad sensata oculta. Y como *Rayuela,* *62* es efectiva como novela y defectiva en relación con el programa que la motiva, porque intenta operar en la zona donde imperan las potencias sombrías, la de la congruencia por desvarío, la de las aprehensiones inefables que sólo pueden representarse mediante significantes oblicuos, la de los inescrutables arcanos, la zona oracular donde el sentido se condensa en coágulos refractarios a la significación.

El programa proviene del capítulo 62 de *Rayuela*; paréntesis metanarrativo en que se consigna una supuesta nota de Morelli, esboza un proyecto de novela cuyos personajes viven un drama suprapersonal, impulsados por incitamientos sublimales que los implican en interacciones ajenas a su voluntad. Los actores de esta dramaturgia concertada por energías que los utilizan según designios indescifrables, son secretamente cautivados y extraviados en una tentativa de mutación del homo sapiens en otra especie más humana.

La noción de figura es la base noético-poética de *62*; se trata de una trama desapercibida que puede incorporarnos como hilo de un ignoto tapiz, de un desconocido dibujo que nos incluye componiendo con entidades aparentemente disociadas una misma configuración. En *Rayuela* aparece a menudo esta idea de figura, de secretas simetrías y de concertaciones herméticas, la sospecha de ser baraja de algún tarot, taracea de un inadvertido mosaico, cara de un poliedro infinito. El análogo literario de esta *imago mundi* sería un relato en pedazos, lleno de brechas, un galimatías literalmente incoherente pero con una carga simbólica integrable en los sentidos segundos, una acumulación de fragmentos dispersos donde las ausencias son más significativas que las presencias o una discontinua sucesión de instantáneas capaces de cristalizar de pronto en una totalidad conexa. Y *Rayuela,* rompecabezas revelador, intenta materializar esta aventura, intenta desestructurar la contextura del realismo psicológico. Novela y antinovela en tensión disonante, basada en una estética de la disimilitud y de la fragmentación donde los boquetes y abrideros potencian su capacidad de radiación semántica, *Rayuela* se acoje al módulo del collage o ensamblaje multívoco de componentes de la más diversa provenencia, coextensivos y en irradiación recíproca, que se interpenetran integrándose sin perder su alteridad. Las fuerzas centrífugas, la entropía desmembradora está intradérmicamente compensada por una red de correspondencias que conglomeran la turbamulta en una configuración que la trasciende, que trastocan el dislate en metáfora de acceso a la plenitud del centro, en camino al cielo. La apariencia de desfiguración resulta al fin emblema de una figura suprema.

62 desecha casi por completo los detenimientos reflexivos para concentrar su enfoque en los actuantes, abandona la diversificación simultaneísta del collage por una composición más concatenada, de más nítido diseño; traslada el desconcierto del plano de la anécdota a la intimidad de la conciencia. El engarce de las secuencias se consuma con precisión de relojero; los destiempos y los desespacios están dosificados como para crear incertidumbres enriquecedoras que perturban sugestivamente la cronología y la topología pero que no impiden recomponer las historias en juego. Al igual que *Rayuela, 62* opera por oposición complementaria de una figura amplificadora, que produce inflación epifánica, demoníaca, lírico-trágica y una contrafigura que provoca de deflación cómica, irónica, humorística. A la rabdomancia ambulatoria que concita los encuentros magnéticos con la Maga se contrapone en *Rayuela* la pérdida y recuperación del terrón de azúcar; al amor de la plenitud erótica, el comercio sexual con la linyera; al agujero cerúleo del circo, el agujero infernal del montacargas; al imantado lado de allá, el pedestre lado de acá. En *62,* a la figura nefasta de Helène quien mata simbólicamente a Juan, a través de su sustituto, el muchacho de la clínica (¿su paredro o *doppelganger*?) y es a su vez asesinada por Austin para vengar el extravío que ella provoca en Celia, se opone la contrafigura jocosa del gran desbarajuste armado por Marrast, promotor de la invasión de los neuróticos anónimos en la sala segunda del Courtauld Institute. Austin es el agente de enlace de ambas y el designado por las furias para castigar la transgresión. A la figura del vampirismo de Frau Marta, espiada por Juan y por Tell, quienes la siguen paso a paso en sus aprontes para seducir a la turista inglesa, corresponde la contrafigura farandulera del naufragio de Polac y de Calanco en la laguna y de su estoica instalación en un islote, a la espera de que los absurdos intentos de socorro tengan algún éxito. La figura de la revelación de las claves en el restaurante Polidor se complementa con la inauguración de la estatua de Vercingétorix en la plaza de Arcueil que moviliza a toda la barra del Cluny para concitar los enlaces y desenlaces que completan la telaraña, la estrella de evasivas puntas.

El puzzle de ciudades imbricadas es teatro de historias que se entremeten e intrincan en vaivenes desorientadores, como ocurre con las coordenadas tempoespaciales, hasta armar la figura enigmática que las constela y las modela en conglomerados por derecho propio, en concatenaciones fulgurantes, en coágulos que cuajan y huyen simultáneamente. Colmo que sobrepasa la capacidad de discernimiento, se conoce sólo como oscura certidumbre; misterio fascinante, llamado desasosegador, se lo palpita o presiente en momentáneas revelaciones; signo de lo numinoso (fasto o nefasto), se lo vislumbra sólo por vía mística y la palabra alcanza apenas a sugerirlo, a balbucearlo. Tal noción de la figura muestra concomitancias evidentes con el hueco taoísta, con el satori zen, con el mandala tántrico, con las visiones de Juan de Yepes en la noche oscura del alma. Pero en *62* hay, como remedo de la magna, una figura textual, inscripta por la historia y consignada por el discurso, que es la gestora del relato. Por la fortuita convergencia de estímulos intercesores, Juan la atisba como premonición y Cortázar la formula como enigma, como criptograma: «(...) acaso la constelación brotaría intacta del aura todavía presente, se sedimentaría en una zona más allá o más acá del lenguaje o de las imágenes, dibujaría sus radios transparentes, la fina huella de un rostro que sería a la vez un clip con un pequeño basilisco que sería a la vez una muñeca rota en un armario que sería una queja desesperada y una plaza recorrida por incontables tranvías y Frau Marta en la borda de un pontón» (14).*

Zodíaco funesto conjurado por poderes impenetrables o sueño de algún dios demente, la figura de *62* tiene su clave principal en la condesa ninfómana Erszebet Bathori, que consumó orgías asesinas en su Basilisken Haus, en la Blutgasse del barrio vienés de los palacios barrocos. Basilisco establece emblemáticamente la concomitancia entre la condesa, vampira carnal, y Helène, vampira mental, preponderante polo de atracción dentro de las circunstancias de *62*, la catalizadora de fieras pasiones, la Diana reprimida, señora de la naturaleza salvaje, implacable con las mujeres que ceden al amor, la cazadora que sedujo a Acteón para librarlo luego a la voracidad de su jauría. Basilisco se liga anagramáticamente con el Sylvaner solicitado en el Polidor donde Juan, mientras lee en *6.810.000 litres d'eau par seconde* de Michel Butor una cita de «Les chutes du Niagara» de Chateaubriand, oye a un comensal pedir un *chateau saignant* que por desliz semántico se trasmuta en *chateau sanglant*, como el palacio de la condesa Bathori. Frau Marta representa su reencarnación vienesa y la muñeca de Monsieur Ochs, que termina destrozada como las camareras de la condesa y con su carga obscena al descubierto, es su fetiche, el conductor impreg-

* Los números entre paréntesis indican la página de Julio Cortázar: *62, Modelo para armar*. Buenos Aires, Editorial Sudamericana, 1968.

nado de la fuerza maléfica, el sustituto del objeto del deseo perverso.

Los hilos se enlazan sutilmente para enredar a los personajes en una trama equívoca, hecha de desplazamientos incontrolables, de actos fallidos, de tropismos involuntarios, de atracciones y rechazos regidos por centros de gravitación que los excentran, que los desorbitan. Marrast ama a Nicole quien ama a Juan quien ama a Helène quien posee pero no es poseída, quien no ama a nadie por una oscura inhibición, andrógina imposibilitada de abrirse y darse y confundirse. *62* se estructura sobre la base del desvío y desvarío, de la desubicación productora de extrañamiento; historia de personajes y discurso de significantes todos constantemente desplazados. Por fin, la condesa es esa Pandora, procreada por todos los dioses reunidos, que detenta la suma de los poderes malignos para alojarlos en la intimidad de sus víctimas, aquella que desvía el espíritu fogoso de los deseos bienhechores a los perversos, y esta novela es su caja.

Aquí también Cortázar boga en pos de los flujos e influjos que operan por propio impulso, de las corrientes osmóticas, de las circulaciones recónditas, y el relato está impelido por la implícita pero pujante presión del inconsciente, por las extrañas fuerzas de la entraña, por el oscuro tramoyista sin rostro que compulsa a repetir los trances de la especie. Así *62*, danza de amor y de muerte, se va convirtiendo en encrucijada de violencias fundamentales, porque substancialmente el dominio del erotismo es violento y violador, colinda con el abismo atractivo de la muerte, restablece como ésta la indiferenciación del comienzo, restaura como el sacrificio la continuidad de los seres discontinuos, el igualamiento primordial. Toda la movilización erótica del relato tiende a la vida disoluta, a la puesta al desnudo, al desarme de la estructura del ser cerrado, a la confusión de lo distinto, al desarreglo de los cuerpos conforme a la posesión de sí, de la individualidad durable y asentada, todo el texto tiende a abrirse a esa incognoscible continuidad que colma y pasma.

Como siempre, en Cortázar lo esotérico se insinúa intersticialmente entre el acaecer exotérico del relato; se entrevé por paulatino desfasaje, a través de las figuras de lo apariencial novelado. Para posibilitar esa lateralidad abierta a las coincidencias turbadoras, a las disrupciones de lo insólito, pone en escena un grupo humano factible pero excéntrico, cuya marginación con respecto al mundo pragmático, al orbe laboral, a la razón productiva, les da máxima disponibilidad, les da la porosidad virtual para poder entrar en la zona milagrosa, en el entremundo de extramuros desembarazado de urgencias materiales. Como el Club de *Rayuela* o la Joda del *Libro de Manuel,* la barra del Cluny es un conciliábulo de *outsiders,* un festivo clan de descolocados o desencasillados casi por completo ajeno a situaciones utilitarias. La razón insensata la rige; ambulante cofradía de temperamento travieso, de inspiración lúdicohumorística, cultiva la complicidad a través de sus propias ceremonias y sus propios ritos de pasaje, su jerga en clave y su código de juegos. Cultiva una inconducta discreta, una módica anormalidad para no dejarse atrapar por el decoro burgués, por la textura adulta. Trama divertimentos gratuitos para evitar ser aplanada por la conformidad masiva o para paliar angustias, para taponar provisoriamente el gran agujero. Como en *Rayuela,* los hombres de *62* luchan contra el desasosiego existencial, libran la pelea metafísica y se ejercitan en la atenta desatención al acecho de absolutos.

El triángulo argentino de Juan, Polac y Calanco trae reminiscencias del trío de *Rayuela;* entre ambos circula el mismo aire patafísico, la misma aplicación al juego como base de albedrío y como plataforma de lanzamiento para trasponer el espejo. Siempre dispuesto a abrir las puertas para salir a jugar, Juan es el más atento a los llamados de extramuros, a la revelación intersticial, a la sorpresa osmótica, a las momentáneas mostraciones de otro orden; está a la espera del arranque de sí mismo, del asalto transbordador; es el más atribulado por la carencia óntica y el más adepto del merodeo metafísico. Mientras Juan se entrega al extravío y al extrañamiento mediúmnicos, el desafuero y el frenesí visionarios, Polac y Calanco asumen una distancia irónica, se ejercitan en la distensión lúdica y en la sustracción humorística. Mientras el discurso de Juan se arrebata y arrebola, se vuelve a menudo paroxístico, oracular, extático, miticometafórico, buscando la expansión pletórica, el remonte o el naufragio, el transporte transfigurador, Polac y Calanco son los transmisores del humor que desinfla la hinchazón sentimental, que retrotae a la superficie la ascensión trascendente, que reflota a la palabra entrañable. Parodia de cafishios que exageran los rasgos regionales, practican la malicia cordial, ejercen un sarcasmo fraterno, aparentes pantallas de separación con las que simulan mantenerse al margen de los entuertos sentimentales de la barra. Caricaturizan el español rioplatense mediante un lunfardo macarrónico proclive a toda clase de manipulaciones divertidas. Con sus pases, jugarretas y patrañas verbales liberan a la lengua de gravámenes gramaticales o referenciales para devolverle festivamente su plasticidad primigenia.

Todo el acaecer narrado aparece como iluminación reminiscente suscitada por la amalgama de sucesos fortuitos que de pronto convergen hacia un centro coagulante, y el aglutinamiento súbitamente cristalino halla su cohesión en un espacio propicio, el restaurante Polidor, durante una cena de nochebuena en soledad. Esa tierra de nadie en un estado de desamparo deviene espacio fuerte que conecta con lo axial, lugar intercesor. El anodino restaurante ingresa en la zona del laberinto o del mandala, cobra derecho de ciudad. Al igual que los cafés, ciertos hoteles, algunos medios móviles —ascensores, trenes, tranvías—, obra de intermediario entre lo periférico y lo central. La historia penetrante de *62* ocurre, mejor dicho concurre, en una geografía y una cronología, amétricas, oníricas, alucinantes. La topología urbana de *62* es en última instancia figuración de un espacio interior, no de objetos sino de reflejos, de espectros, de sombras, donde los signos difusos, los significantes díscolos entablan por recóndita afinidad sus concatenaciones íntimas, se avienen alusivamente al orden deseado y deseante. El lenguaje deja de circular objetivamente por los alineamientos de la interlocución normal, se vuelve sistro revelador de la base carnal que lo profiere, del cuerpo parlante, del sujeto palpitante. Desorganizada la logística de las relaciones habituales, lo que de costumbre está como soporte sensible (en tanto tácito vivir del cuerpo) del sentido apto para la comunicación social recobra sus fueros, aflora como sentido oculto, como sentido del sentido, para poblar la conciencia de pujos, de acicates, de ruidos que desplazan a las abstracciones generadoras de pensamiento y la someten a la física natural de flujos y reflujos, de vibraciones, de propagaciones ondulatorias, de intercambios energéticos, de descargas, de ingestiones, combustiones, deyecciones, como si las propiedades sensibles, sobre todo acústicas, prevaleciesen sobre el sentido.

Para figurar la experiencia alucinatoria el relato recurre sobre todo a metáforas espaciales de desdoblamiento, bifurcación, sustracción, intrusiones, intersecciones, a efectos de eco, de boomerang. Los acontecimientos se viven con íntima extrañeza como asalto de un colmo de realidad insólita o como incursión en el reverso de la apariencia, se viven como apremio de una imperiosa figura en la que repercute el espacio visceral, la tempoespacialidad quinésica. La representación alucinada remite al ámbito de las dimensiones entrañables.

Viena —teatro de las orgías de la condesa y del vampirismo de Frau Marta—, Londres —escenario de la revuelta de los neuróticos anónimos—, París —arena del sacrificio simbólico de Juan y de la punición de Helène— integran, como ciertos sitios de cualquier ciudad, la Ciudad propiamente dicha, médium, recinto privilegiado que conecta con los poderes providenciales, lugar epifánico (con la ambivalencia de toda puerta) donde se operan los encuentros y las mutaciones decisivas. Tabernáculo que encierra las claves, aleph, la Ciudad o la zona involucran el espacio de la conexión, espacio conjuntivo que concilia las heterogeneidades díscolas de la experiencia territorial y las concatena según una causalidad tan irrevocable como hermética. La Ciudad es metáfora de la novela, la Ciudad es *62, Modelo para armar* y la zona, sus secuencias coagulantes.

Con la Ciudad puede vincularse cualquier lugar, objeto o circunstancia; la Ciudad puede extenderse por doquier, librar en un inesperado momento su acceso; la Ciudad es cambiante, metamórfica, la Ciudad es un lugar mental, pertenece al teatro de la memoria; es estación mnemónica, afloramiento al campo de la conciencia de un vivir reprimido que ella no puede inteligir, que sólo atina a entrever imaginariamente a través de sus metamorfosis simbólicas. A la Ciudad se entra por la noche, se la reconoce por una «expectativa agazapada», por pálpito; allí convergen los paisajes reservados por la memoria en los trasfondos. Ella contiene los paradigmas personales de una experiencia del espacio interiorizado; canal que la corta, pontones y tranvías que la cruzan, mercado con portales y con tiendas de frutas, calles que serpean, calle de altas aceras, hotel con verandas tropicales, siniestros ascensores, retretes sucios donde la cita es perro y no se da.

La Ciudad es descendimiento por la imaginación somática hacia lo corporal entrañable, bajada cloacal al revoltijo del fondo, al maremagno de lo genital y excrementicio:

Entonces andará por mi ciudad y entraré en el hotel
o del hotel saldré a la zona de los retretes rezumantes de
[orín y de excremento,
o contigo estaré, amor mío, porque contigo yo he bajado
[alguna vez a mi ciudad
y en un tranvía espeso de ajenos pasajeros sin figura he
[comprendido
que la abominación se aproximaba, que iba a ocurrir el
[Perro, y he querido
tenerte contra mí, guardarte del espanto.

(pp. 34-35)

La Ciudad es ignota, apenas figurable. Ciudad alucinatoria, poco tiene que ver con el orden mundano. Ámbito de dimensiones insensatas, sólo puede representarse mediante aglutinamientos o condensaciones oníricas, a través de la profusión fantasiosa que se sobrepone a lo real o entabla con él una coexistencia caótica. El vivir profundo amenaza y por fin rompe el acuerdo de la conciencia con el mundo; ese vivir preserva su singularidad enquistándose en módulos de extrañeza, no reductibles a las generalizaciones de la cordura, que interfieren la comunicación sensata y trastornan el equilibrio de los intercambios razonables entre mente y mundo. Signos sensibles y difusos, significantes huidizos entablan por oposiciones y afinidades extrañas un orden que impone su propia inmanencia. Cuando el relato alcanza sus ápices de excitación, ya no se deja historiar, no se lo puede encauzar sucesivamente, hacerlo circular objetivamente por los alineamientos discursivos y los encadenamientos lógicos: se convulsiona, se pasma, delira, se vuelve rapsódico.

La cordialidad, cierto aire inocente, un temperamento travieso, la gratuidad lúcida y el desprendimiento humorístico ocultan en *62*, o por lo menos morigeran, la carga insidiosa, el apremio perverso, la pujanza pulsional que impulsa el decurso, que presiona buscando abrimientos, buscando camorra, romper los retenes de la sucesión anecdótica, desbarajustar la ilación causal, descoyuntar la mecánica narrativa, provocar el desfogue. *62* tiene exteriormente apariencia de equívoca juguetería; se presenta como casa de muñecas o teatro de marionetas pero narra una errancia fantasmática. La historia eventual es suplente simbólico que logra trasponer al campo narrativo la historia indecible; la historia figurada relata una deriva arrancada a la profundidad onírica, que sólo puede acceder al orden de la conciencia, al orbe verbal, como espectro o proyección de la intencionalidad inconsciente, que sólo puede aflorar como mediación imaginaria, infiltrando en el contexto de la apariencia fáctica presencias y presentires metafóricamente traspuestos. La imaginería interpósita (figura, fetiche, vampiro, ciudad, zona, paredro) hace irrumpir en la objetividad mundana las figuraciones del vivir recóndito que conllevan su propio contexto.

En *62* la mundanidad es aún más fantasiosa (o fantástica) que en las otras novelas de Cortázar. Las funciones téticas están menguadas y, dentro de parámetros exteriormente circunscriptos al realismo, hay mínima voluntad de postular categorías objetivas o de ceñirse al marco de las restricciones empíricas. Urdido históricamente por imposición de la preceptiva novelísitca, el relato busca contravenir los parámetros que lo constituyen como género; provoca ubicuidades y simultaneidades peregrinas, descoyuntamientos tempoespaciales, equivocidades visionarias, apariciones extrañas al sistema referencial, como si otra ficción más entrañable se apoderase del imaginero y lo cautivase. Por fin *62* pone en escena la fascinación de un soñador capturado por su sueño; *62* es el espectáculo de una proliferación de imágenes enigmáticas, de un pulular de significantes huidizos (como los insectos que el paredro mira revolotear en torno del farol) que surgen como vivir en sí y como vivir a través de la ficción un vivir tan vívido y tan concerniente como el de la legislada vigilia.

Con la mundanidad suficiente como para instalar la ficción en el supuesto horizonte de la experiencia posible, el simulacro realista va dejándose infiltrar por los impulsos delirantes, es trastornado por la presión de pujos informes e indecibles a los que hay que dotar de aparición verbal. El encadenamiento escénico se enreda, se abisma abierto en las intensidades díscolas, a una reverberación frenética (ápices de éxtasis de euforia y de terror: videncia de Juan, su voyeurisme en el momento en que Frau Marta va a morder el cuello de su víctima, posesión de Celia y de Juan por Helène, cita de Helène). La dramaturgia metaforiza la mutabilidad de esa intencionalidad tan omnipresente como escurridiza que liga al deseo, a las fuentes de la avidez y del miedo con sus objetos inasibles y sus imágenes sustitutivas. Juan, Helène, Nicole —triángulo cardinal del relato— se convierten paulatinamente en sujetos afantasmados, en figurantes del extravío, en fantoches del amor y de la muerte.

62 intenta historiar un revoltijo prehistórico, de dotar de imagen accesible a la agitación, a la promiscuidad del fondo ciego y denso. *62* presenta lo que sobreviene a una conciencia abierta a fuerzas entrópicas que la desestructuran, sin pretender neutralizarlas por el distanciamiento juicioso, por efectos de perspectiva o mediante los cortes separadores de la diferenciación reflexiva, sin querer sustraerse a la posesión de una experiencia radicalmente subjetiva. En la radicalización de lo subjetivo reside, según Cortázar, la clave de una nueva objetividad, de una conciliación más justa entre mente y mundo.

Los personajes principales de *62*, aparecen, como los de *Rayuela,* bamboleándose al borde de la falla, en constante asomo al abismo poblado de ecos, de premoniciones y de prefiguraciones que atraen y aterran, todos cautivos del canto de las sirenas. *62* representa el avance de la confusión onírica que atrae hacia el polo subjetivo el acuerdo bilateral yo/mundo, fundamento de las categorías de la realidad. Los personajes son presa de estados regresivos o crepusculares; el mundo se desmembra, transfigurado por penetrabilidades e impenetrabilidades insólitas; se vive en un envolvimiento excitante y amenazador; todo se vuelve paisaje existencial, todo puede trasmutarse en la Ciudad; el sujeto es centro y excéntrico, foco y espectador expectante de una inmensidad imperiosa que lo subsume o lo exalta. El acontecer se proyecta y condensa en perspectivas embrolladas, planos perplejos, mudadiza marea, se precipita hacia ignotas desembocaduras. Loco devenir, extrapolación de dimensiones y de enfoques, erupción de lo fantástico que desbarata las adjudicaciones cuerdas. En sus puntos de fusión, de fisión, el delato se vuelve surtidor icónico; figuras y figuraciones pululan activando sus metamorfosis para simbolizar una inherencia y una otredad inalcanzables. Encuentros milagrosos o monstruosos del sujeto con su otro mundo, quimera suspendida entre cielo e infierno en el menguante del principio de realidad. La narración rompe los carriles anecdóticos y discursivos para presentarse como pura mostración, como el espectáculo de la conciencia atrapada en la telaraña de su propia representación, como presencia insinuante por inusitada, como presentimiento del vivir más profundo, como la experiencia más íntima que sólo puede figurarse por trasposición, infiltrada en el mundo sólito para impelerlo hacia su más allá. Así cesa en los ápices la ley de exclusión recíproca de los subjetivos y lo objetivo para admitir la ambigüedad de sus mezclas, y sobrevienen los tránsitos mutuos, los traspasos, la transfiguración acatada a la vez como vivida y fictiva, con el estatuto equívoco de toda ilusión artística.

La representación apunta por extrañamiento a la zona de penumbra, a lo misterioso y numinoso, busca satisfacer figuradamente las nostalgias primordiales. En esa napa, en esa deriva, la experiencia imaginante tiene que estar ligada a modalidades dramáticas, a los artificios escénicos del alucinamiento, al fingimiento de prodigios, a lo extático, a los rituales del arrobo, a una temática magicoesotérica y a formas de expresión poética. La conciencia renuncia a sus fueros reguladores y se deja invadir por la extrañeza de un mundo vacilante, perpleja y aturdida ante la fascinación de lo entrevisto, de ese indecible que arraiga en el oscuro, en el soterrado punto de articulación del ser con el desear, de la vida con la muerte, de esa significación siempre implícita y siempre tránsfuga, por fin no modulable, por fin no proferible.

Salir a lo abierto

En Julio Cortázar hay dos textualidades en pugna: la abierta de las narraciones y la cerrada de los cuentos: diástole y sístole de la escritura propulsada por dos poéticas opuestas que condicionan la configuración (la una multiforme, la otra uniforme; la una centrífuga, la otra centrípeta), que simbolizan visiones del mundo diferentes y que conllevan gnosis dispares, en discrepancia.

En Cortázar hay una escritura M. Jekyll y una escritura Mr. Hyde. En sus luchas con la hidra literatura, hidra por supuesto policéfala, alternativamente prepondera la cabeza que acata y jerarquiza lo literario o la cabeza que todo lo revierte y se divierte, la cabeza que está en la luna o la cabeza implantada en el mundo pedestre, cabeza que se introvierte, se introyecta hacia el embrollo del fondo entrañable o cabeza que se extrovierte hacia una realidad efervescente, proteiforme, incidental, excitante, catastrófica, cabeza de la presencia y cabeza de la ausencia, cabeza lírica y cabeza épica, cabeza inmemorial y cabeza histórica, cabeza de la ebriedad, del éxtasis y cabeza reflexiva, atinada, cabeza de la oscurvidencia y cabeza de la clarividencia, cabeza esotérica / cabeza exotérica, cabeza poética / cabeza política.

¿En su variada vastedad, qué trayectoria dibuja esta obra? ¿La semirrecta: del punto de partida bien ubicable ir lanzándose hacia las infinitudes deseadas (en Cortázar se trata casi siempre de infinitos positivos, reparadores), o la inevitable órbita circular: abrirse en abanico, zigzaguear, piruetear, dispararse a lo desconocido, tentar lo nuevo, desdoblarse, metamorfosearse, multiplicarse hasta que el inevitable ciclo opere sibilinamente los cierres y fijaciones que estrechan el haz, reducen la dispersión y devuelven al punto de arranque?

Cortázar parte de la hiperliteratura, de la literatura que se sabe y se quiere exclusivamente literaria. Establece su predio, inicialmente poético, dentro del dominio reservado de lo literario propiamente dicho, prestablecido como tal. Lo literario es su imperativo categórico y su principio de razón suficiente. Se confina con autosuficiencia en un espacio letrado donde todas las señales indican directa y alusivamente literariedad centrípeta. Allí se parapeta protegido por los usos con prosapia literaria. Imitador de modelos insignes, se cierra al bullicio exterior, a la diversidad promiscua que circunda las fronteras del reducto literario, amenazándolo de invadirlo y confundirlo con el galimatías de afuera, con la lengua viva que no cesa de contaminarse, de transformarse. La literatura literaria lo defiende de la voracidad profusa de la otra lengua, de la logorrea de la lengua que prolifera, descentrada y desmedida como la realidad circundante.

Cortázar comienza, como casi todo aprendiz de escritor, por una poesía logométrica. Pretende encuadrar el confuso y tumultuoso universo dentro de un molde simétrico. Esa isometría concertante propone una percepción acompasada, proyecta una visión unitiva. Dispone, contra la tremolina externa, un compartimento protector, un oasis de mesura en medio de la desmesura. El afuera está revuelto por tensiones explosivas y embarullado por la vociferación colectiva. La literatura literaria de la década del cuarenta pone en juego agudeza y arte de ingenio para componer un universo cadencioso que transfigure la experiencia conflictiva, los alterables atributos de la realidad empírica en paradigmas ideales, depurados por la estilización y la sublimación.

Cortázar parte de la literatura tal como la define Borges, como quimérico museo que conjuga la retórica y la magia para transmutar la vívida maraña, la del vivir inmediato, en metáforas y mitos arquetípicos, aptos por siempre y por doquier. Como Borges, asiduo lector de la biblioteca de Babel, o como Lezama Lima, bibliófago voraz de la de Alejandría, Cortázar también da cuenta de su universal bibliofilia. Musa se emparenta con museo para que el texto se inscriba como memorial de la literatura memorable. Con alma de coleccionista, de colector transhistórico, transgeográfico y translingüístico; retoma y prolonga la estética modernista del acopio cosmopolita y el despliegue de las más variadas referencias culturales —estética almacén de ramos generales y teatro de variedades.[1] Esta estética es ostensible hasta en *Rayuela,* donde se exhibe un cúmulo culterano de índices pictóricos y literarios, aquí en contraste con una contracultura excéntrica, mediática y popular.

Tiende a refugiarse en el onirismo fantasioso, se deja fascinar por lo legendario; en su comercio con lo esotérico, trata la escritura como vía iniciática; busca la evasión compensadora de las opresiones, coersiones y represiones de lo real externo. *Los reyes* (1949) fabula quiméricamente en torno del mito del minotauro y el laberinto de Creta; tiene algo de recreación arqueológica y remite a la época de su génesis, a la ilustración rioplatense, a la generación del cuarenta, la de los acólitos de Sur —revista en la que Cortázar colabora—; recuerda toda una atmósfera posvanguardista de la literatura europea, con su consiguiente recuperación de los mitos clásicos. *Los reyes* es un buen exponente de la poética, del refinado recato de esa generación de escritores traductores muy al tanto de la actualidad literaria mundial. En sus comienzos, Cortázar es tan activo productor como traductor; traduce a Poe, Keats, Yourcenar, Chesterton, Defoe, Gide, Giono. Tiene entonces un tímido contacto con la modernidad; lo conecta con la vanguardia la práctica de un surrealismo atemperado, asimilado a lo escribible y lo legible usuales: un surrealismo sociable, ya domesticado.

En 1951 va a consumar la doble fuga: la evasión real, la del exilio físico con su instalación en París, ombligo del mundo, meca cultural, escenario de utopías, vertiginosa rayuela, y la evasión hacia lo fantástico, con la publicación de *Bestiario* (fantástico teratológico, fantástico atisbado en el ámbito de lo cotidiano). Desde su primero y no precoz libro de cuentos, Cortázar demuestra un dominio cabal de los mecanismos del género y su determinación a operar dentro de las restrictas normas del cuento. Es decir que acata en el cuento el inherente predominio de la literatura centrípeta, celosa de sus protocolos específicos, atenta ante todo a sus propios requerimientos. Concibe el cuento como autogénesis, como maquinación reglamentada, centrada en

1. Véase Saúl Yurkievich: *Celebración del modernismo,* Barcelona, Tusquets Editor, 1976.

una narratividad autónoma. Artefacto dotado de un motor impelente, su avance debe ser impostergable, indetenible. Relato puro nudo, con poca o ninguna digresión, ninguna dilación, todo en él —hasta los índices, hasta los informantes— posee la máxima funcionalidad. Aunque simulacro realista, aunque simule ser una relación histórica, opera un neto encuadre para enmarcar un microuniverso e infundirle, mediante encadenamientos causales, una figura clara y una tensión cohesiva. Se trata, por supuesto, del cuento moderno tal como se modela en el siglo pasado, sobre todo a partir de Edgard Allan Poe, cuya obra completa Cortázar traduce para consumar su aprendizaje de cuentista. Este módulo de composición, aunque supeditado a las determinaciones fácticas inherentes a nuestra figuración de lo real, aunque sujeto al sistema simbólico del realismo psicológico, implica un logos y un epos específicos. Cuento es así un rótulo rotundo que presupone una nítida atribución genérica. No se abre, no se mezcla, no se ramifica, no se enmaraña, no se extiende, no se confunde.

Poco tiene que ver la concepción y la realización cortazarianas del cuento con las borgeanas. Borges se sirve de los universales fantásticos, retoma lo fantástico ecuménico, se remite a los arquetipos de la fantasía legendaria, a las historias paradigmáticas, a las fábulas ancestrales, al gran museo de los modelos generadores del cuento literario. Procura evitar la circunscripción del módulo cuento, evita la denominación: llama a sus relatos ficiones; propende a la hibridez, se sitúa en las fronteras del género practicando insólitas mixturas entre naración, ensayo, comentario apologético o bibliográfico, desciframiento criptográfico, exégesis. Cuando narra, impone siempre una distancia manifiesta entre texto y extratexto, evita toda confusión realista, opta por el estilo elevado, ubica *in illo tempore* o emplea sutiles anacronismos que intemporalizan la anécdota; no retrata ni individualiza ni particulariza, reduce los posibles empíricos a los actos fundamentales del hombre. Utiliza un registro extemporáneo, prepsicológico, que le posibilita un comercio más directo con lo fabuloso, lo prodigioso, lo sobrenatural, que le permite apropiarse de la literatura sagrada, de todo el tesoro literario de inspiración mítica y mística. Cortázar acata la cerradura autárquica del cuento, la practica ortodoxamente. Aprovecha de la ilusión realista para crear una relación de confianza psicológica por el inmediato funcionamiento de los mecanismos de la identificación, y de seguridad semántica por la proximidad entre mundo narrado y mundo del lector, se apoya en la mímesis realista, en la apariencia de relato extensible de los signos a las cosas significadas, para provocar en el seno del sistema figurativo del realismo psicológico sutiles fallas o fisuras que dejan entrever el reverso de lo real razonable, perturbaciones inexplicables que descolocan mentalmente, irreductibles desarreglos que permiten vislumbrar fuerzas ocultas, insospechadas dimensiones. Cortázar consuma así la más eficaz simbiosis entre la condensada dramaturgia del cuento propiamente dicho y lo fantástico como oscilación irresoluta entre la causalidad convenida y otra indiscernible.[2] Mientras Borges, en sus textos andróginos donde el relatar se combina con el discurrir, puede detener la narración y a partir de ella explayar la reflexión, Cortázar no puede interrumpir la acción del cuento para comentar su acaecer, no puede perturbar su vectorialidad, no puede explicar, no puede tornar explícita su gnosis. Sus cuentos son antropofanías guiadas por una antropología que el relato metaforiza.

Su preceptiva está expuesta en el ensayo «Del cuento breve y sus alrededores»,[3] donde insiste en la autosuficiencia y en la esfericidad. El cuento es un en sí que, a partir de una situación narrativa, opera un englobamiento que se le impone al cuentista, de quien se va desprendiendo como universo independiente. Según Cortázar, el sentimiento de la esfera prexiste a la conformación del cuento y determina su génesis. El cuento —«máquina infalible destinada a cumplir una misión narrativa con la máxima economía de medios»— debe infundir la impresión de que se autogenera, autorrepresenta y autojustifica. El primer signo de un cuento logrado es su autarquía.

El cuento se cierra sobre sí mismo y se desliga de su autor. Esta literatura autógena no le permite a Cortázar la autoexpresión ni el autorretrato ni lo autobiográfico. Con ella, la subjetividad no consigue explayarse. Tampoco acoge el cuento la incidencia personal, lo

2. V. S. Yurkievich: «Borges/Cortázar: mundos y modos de la ficción fantástica», Revista Iberoamericana, Pittsburgh. N.os 110-11, enero-junio de 1980, pp. 153 y ss.
3. *Último Round,* México, Siglo XXI, 1969, pp. 35 y ss.

contingente, lo ocasional, que no se dejan historiar. Ni lo político entra, a menos de sujetarse a la configuración, a la relojería, a las interrelaciones peculiares del género, a menos de condensarse, tensarse y trasladarse al plano de la acción simbólica que lo conlleva.[4] Con el cuento no se puede absorber mundo, se es absorbido. Con el cuento no se juega, con el cuento no hay tu tía. Por los cuentos, no conoceríamos a Cortázar como lo conocemos. Tendríamos que recolectar y reinterpretar las alusiones personales, inventariar los índices que conjeturalmente remiten a su subjetividad empírica, revertir lo referente al mundo de los otros y reorientarlo hacia su mundo íntimo, desfigurar lo figurado en busca de la inscripción criptobiográfica. Para qué esta ardua pesquisa si disponemos de las otras narraciones, las abiertas, y de las prosas donde hace su autopresentación, su autoexamen.

Si el cuento es esfera autónoma, el cuento representa la literatura literaria, celosa de su dominio, aquella que no se abre al entorno sino para asimilarlo a su propia entidad, para transmutarlo en signo estético mediante una suspensión formal que lo desliga del autor y del referente, que lo inserta en un contexto aparte cuya función es preeminentemente artística. Todo en él debe aprehenderse y verificarse dentro de la forma que lo configura como integridad independiente.

Si bien la cuentística es la obra vertebral de Julio Cortázar, la más asidua, la más prolífica —un corpus de casi un centenar de cuentos, cuerpo magistral—, no es la producción propiamente cuentística la que nos permite conocer a Cortázar, ese abremundos. Es en las otras naraciones donde puede desplegar la vastedad, la multiplicidad de su experiencia personal del mundo, transmitirla en su vivida y vivaz mescolanza tratando de abolir todas las mediaciones que lo distancian del lector, es en las otras narraciones donde puede permitir a su subjetividad, transida o atribulada, irrumpir, desparramarse, ocupar todas las instancias discursivas,

4. Lo político, ingrediente que escasea en la mayor parte de los libros de cuentos de Cortázar, adquiere mayor proporción en el último: *Alguien que anda por ahí.* De los once relatos que éste contiene, cuatro pueden considerarse de implicación política.

donde puede subvertir los dispositivos textuales, manifestar en todos los niveles su anticonformismo, alterar el sistema de las restricciones naturales y sociales, proyectarse a otra factualidad, proponer otras posibilidades existenciales, o revertir el mundo divirtiéndonos con toda clase de descalabros ludicohumorísticos.

La apertura al mundo multívoco, a la polifonía exterior o a la palabra proliferante se realiza a través de otras narratividades: de los protorrelatos de *Historias de cronopios y de famas*, de las novelas collage, adictas a la estética de lo inacabado, discontinuo y fragmentario, basadas en el montaje de la diversificación disonante, o a través del mosaico caleidoscópico, de la miscelánea de los almanaques —*La vuelta al día en ochenta mundos* y *Último round*. En *Historias de cronopios y famas* Cortázar recurre al relato limítrofe, en la tradición de *Le cornet à dès* de Max Jacob, *Tres inmensas novelas* de Vicente Huidobro y Hans Arp o *Espantapájaros* de Oliverio Girondo. Este tipo de relato se abre o se desplaza demasiado como para urdir cuento; se instala en una zona incierta desde el punto de vista de la atribución genérica. Escapa a la cohesión, a la rigurosa congruencia, a la precisa interrelación, a la exacta maquinación del cuento. Lo figurado es excesivamente voluble, la causalidad muy lábil, demasiado hilozoísta como para dejarse enfilar por la ilación del cuento. Microrrelatos embrionarios, proponen un pulular de ocurrencias que no se empeñan en tramar una historia. Chispean, se disparan, disparatan sin urdir una intriga. Abanico de virtualidades, el potencial narrativo queda en estado germinal. Este fabular sin historiar permite la suelta de los sentidos figurados, la fuga de los sentidos traslaticios. Descartado el módulo cuento para no dejarse ceñir por un patrón tan realista, Cortázar vuelve, por la vía abierta por dadaístas y surrealistas, a estados narrativos anteriores a la clausura del cuento decimonónico. Opera mezclas que provocan una interpenetración de géneros, de poiesis y de diégesis, del cantar con el contar. Inventa fantasías que contradicen las oprimentes coacciones y reducciones de lo real admisible. Recurriendo a la travesura, a la humorada, al dislate, restablece el trato con lo absurdo, lo aleatorio, lo arbitrario, un vínculo más directo con lo fabuloso y lo fantasmático. Caprichos, quimeras, graltes, patrañas: ¿cómo calificar estas invenciones que escapan a toda taxonomía retórica?[5]

Cortázar dice, como en tantos textos de los almanaques, juego verboso, palabra excéntrica, lengua surgente, libérrima facundia. Abre la puerta del cuento para salir a jugar, mediante una escritura proteica, fuera de norma, ajena a toda razón de uso, capaz de acoger cualquier ocurrencia. En esa textualidad abierta cesan las normativas, aflojan las presiones, se suspenden las urgencias. Sin apremios internos o externos, puede instaurar su interregno festivo, su feriado lúdico, trasladarse a la zona de excepción donde recupera el albedrío. Puede poner en juego su humor mediante rupturas, irrupciones y disrupciones sorpresivas, revertir el mundo, provocar un revoltijo categorial, jerárquico, volver trascendente lo nimio e intrascendente lo magno, ejercer el humor negro suspendiendo la norma moral y el imperativo afectivo, practicar sus ejercicios de profanación, sus reducciones al absurdo, sus remisiones al ridículo, sus asociaciones desatinadas, su movilidad paródica, sus retruécanos, sus mejunjes verbales, sus graciosas homofonías, su humor ortográfico.

La mutabilidad, la polifonía polimorfa, la multivalencia, la multiplicidad direccional, dimensional, la representación del mundo como pujante, como excitante barullo, como campo de fuerzas revueltas y en pugna, como cúmulo de energías desencadenadas hallan por fin su medio de representación en la dinámica pluralidad del collage, en ese mosaico simultaneísta que se atisba en *Los premios* y que se convierte en la matriz multiforme de *Rayuela*, de *62, Modelo para armar* y del *Libro de Manuel*. Allí la conciencia escindida, conflictiva, fáustica (las cuatro conciencias simultáneas de las que hablaba Vallejo) encuentra el discurso dispar, disconforme, interceptado, a jirones que mejor la representa. Allí la extrahistoria y la intrahistoria pueden embrollarse para mostrar su coexistencia atribulada. El sujeto unitario y lineal se desmembra, estalla: por las fisuras, la pujanza pulsional afluye tratando de remodelar la lengua. Mediante el collage, todo halla cabida.

El collage contrapone segmentos extraídos de contextos muy disímiles que se ensamblan, conservando su

5. V. Pierre Lartigue: «Contar y cantar. Entrevista a Julio Cortázar y Saúl Yurkievich», Vuelta, México, n.º 17, abril de 1978, pp. 46 y ss.

diferencia, en conjuntos figuradamente transitorios y casuales. Procede a un recorte arbitrario de fragmentos provenientes de mensajes preformulados y a su redistribución en una configuración heterotópica. De articulación quebrada, a saltos, por atajos, sus rupturas coexisten sin fundarse unas en otras. Objeto móvil y aleatorio, revela una prodigiosa capacidad de ligazón de conjuntos efímeros, pone en funcionamiento una dinámica polimorfa que descentra la enumeración y libera los signos de su inclusión convencional. Anulada toda relación de encuadre permanente, los fragmentos se libran a una combinatoria totalmente abierta. Los préstamos a registros tan variados aumentan el nomadismo de los signos, infunden al texto el vértigo de la deriva.

Rayuela combina recortes de periódicos con citas de Meister Eckhardt. Hofmannsthal cohabita promiscuamente con textos de piantados; Musil, Malcom Laury, Artaud con letras de canciones populares; Achim von Arnim con el almanaque Hachette. El dispositivo collage rige la composición de *Rayuela* en todos sus niveles; conforma no sólo la estructuración externa del relato (integrado por 151 capítulos, de los cuales 95 se califican de prescindibles o sea de pedazos disociables), sino también la concatenación logofáctica, la caracterización de los personajes, la ambientación, la disposición rítmica, el manejo tonal, la armadura discursiva. El collage modela aquí la historia y el discurso; el collage es la *gestalt* que condiciona la preceptiva y la perceptiva, el precepto y el percepto del texto. Determina la aprehensión, la concepción y la representación del mundo novelado. El collage es aquí la matriz mental, motriz de lo verbal.

Los capítulos prescindibles presentados como sucesión separable entablan con las dos primeras partes —«Del lado de allá» y «Del lado de acá»—, cuyo decurso está concatenado cronológicamente, relaciones que desdoblan, escinden, excentran o desenuncian el relato por exceso de enunciaturas. Los hiatos son francos y de distinto grado; algunos pueden ser neutralizados por la complementariedad manifiesta de capítulos prescindibles, con la narración historiada; otros sólo pueden vincularse metafóricamente, por traslaciones de sentido a veces muy alejadas del término inicial de asociación; otros, por fin, constituyen fuerzas de choque semántico: provocan quiebras humorísticas, caídas irónicas, tergiversaciones lúdicas, escapadas líricas, desbandadas disparatadas, migraciones simbólicas, desencadenan fugas de incontrolable energía.

Si nos atenemos a la segunda lectura, según el recorrido propuesto por el «Tablero de dirección», comprobamos la omisión del capítulo 55 que en la lectura normal pertenece al grupo de los imprescindibles. Este itinerario revela rotundamente la estructura collage; en él, el discurso historiado de las dos primeras partes que tiene a su cargo la regencia o enunciatura está entrecortado, interferido, demorado, enrarecido por inserciones de textualidad movediza, mudadiza que lo remueven, lo descomponen y recomponen, le imponen un avance sinuoso, lo abren en haz, lo enjambran, no lo dejan cerrarse, desbaratan las clausuras retóricas. Tanta diversidad multiforme, capaz de acoger lo incidental, lo accidental, lo gratuito, lo residual, esta acumulación profusa activada por fracturas, saltos, sobresaltos, desvíos, crea una doble dinámica, contrastiva e implicativa, donde la disparidad y la discontinuidad son las fuerzas propulsoras.

La obra literaria, antes conjunción concordante, selectiva, centrípeta, se abre con *Rayuela* a la multivocidad, a la polifonía exterior, se excentra, se autoexpulsa de su dominio reservado, se abre a la contextualidad confusa, a la vocinglería pública. Se deja invadir por las palabras ajenas, enajena su integridad. *Rayuela* pone en funcionamiento una retórica descompuesta, una contrarretórica que la descompagina para permitir la irrupción desestructurante de los otros discursos, de los antagónicos; suscita un *smog* semántico, una polución de acontecimientos verbales de valor indeciso que desdibujan lo literario, que lo disuelven en los otros discursos o que lo difunden demasiado, que lo generalizan impidiendo su identificación. Así, la lengua ya no lamina, ya no alisa lo real unificándolo con la escritura uniforme; evidencia su disparidad, su rivalidad, su discontinuidad. Al fin, el collage testimonia acerca de las condiciones de ligazón y de ruptura de toda palabra viva, de toda experiencia en vivo. La obra no funciona ya como totalidad autosuficiente, como una correspondencia de partes que siempre remiten al todo; de contextura ahora mixta, estrellada y estallada, se deja invadir por las otras inscripciones, por la bullanga colectiva, por el fragor del extratexto, por el ruido de fondo. Se vuelve manifiestamente encrucijada intertextual, travesía de distintos vectores simbólicos, campo de contienda ideológica, mundo tumultuoso, de integración precaria: nuestro mundo.

Por convicción política, por imperativo moral, por responsabilidad intelectual, por presión histórica, Cortázar decide en el *Libro de Manuel* testimoniar acerca de la opresión, la rebelión y la represión en América Latina; intenta conciliar en una textura novelesca la literatura documental con la quimérica; se propone sentar una denuncia sobre la revulsiva y explosiva realidad inmediata integrándola en una ficción narrativa que conserva su capacidad de fantasear. Se trata de una entrada neta en el combate ideológico, pero aquí lo político está insertado en una representación galáctica donde coexiste, se juxtapone, se interpenetra o entra en conflicto con otros campos, otras actitudes, otras magnitudes de una compleja experiencia del mundo. Para figurar esta coacción de agentes tan diversos, Cortázar recurre a un sistema figurativo —el collage— que manipula con probada destreza y a una escritura que domina, ya hecha carne: la de *Rayuela*. Quiere hacer pasar una información relegada o censurada y a la vez superar las limitaciones de la estética del compromiso mediante una inventiva irreverente y fantasiosa (aunque no fantástica) que se deleita en aprovechar de todas las libertades textuales. Así, merced a esta confabulación novelesca de múltiples enfoques, diferentes actores, distintos narradores, heterogéneas locuciones, mudables ubicaciones, lo político no llega a convertirse ni en vector dominante ni en sentido hegemónico.

A la imperiosa actualidad atestiguada corresponde en esta novela una actualidad formal concomitante. El collage es aquí el icono que vuelve visible la variación de marcos de referencia, la multiplicación de dimensiones y direcciones, la movilidad, la relatividad, la labilidad de una historia refractaria a toda fijeza figural o categorial. La realidad no aparece ya como materia dada sino como agitado, como multívoco entrevero. El mundo revuelto y revoltoso de *Libro de Manuel* sólo puede figurarse a través de esta mixtura contrastante de textualidades divergentes, por medio del collage v de su recurso complementario: el montaje cinemático, esa combinatoria del recorte y de la yuxtaposición contrapuntística.

Jugando hasta con las variantes espaciales y tipográficas —la diagramación es tan movediza como todas las otras instancias del texto—, Cortázar propone una novela donde el nomadismo y el mimetismo que animan sus signos son disparadores y liberadores del sentido. El *Libro de Manuel* se presenta como contexto estallado, como lugar de redistribución y de derivas que desplaza el conjunto cerrado de la obra literaria hacia el espacio verbal abierto que constituye su lindero y su horizonte. Por la diversificación discursiva, por contaminación de la lengua coloquial y popular, Cortázar busca infundirle el desatino vital de la palabra viva, un bullicio poligloto, su genuina estereofonía. De lo intra a lo extraliterario, el narrar se abre a la vastedad del lenguaje, a la pluralidad de idiolectos (neofonemas de Lonstein) y de sociolectos (recortes periodísticos), amplifica su voz para abarcar más mundo.

Así como el *Libro de Manuel* acoge la multiforme multiplicidad del mundo exterior, sus ubicuidades y simultaneidades, su agitada mezcolanza, *62, Modelo para armar* da entrada a la desconcertante pluralidad pulsional. Al igual que el *Libro de Manuel* se abre a la desatinada desproporción, a la violenta heterogeneidad, a los tumultuosos antagonismos del mundo externo que lo descompaginan, *62, Modelo para armar* se abre al aflujo desfigurante del mundo más íntimo. Ambos dispersan igualmente la imagen monofocal, desbaratan la sucesión tempoespacial, desperdigan la figuración armonicoextensiva, provocan migraciones simbólicas que redundan en transmigraciones nocionales. Ambos revuelven, revierten para posibilitar un remodelado del mundo.

62, Modelo para armar se constituye como trama equívoca, enrarecida por desplazamientos incontrolables, por actos fallidos, por tropismos involuntarios, por un alucinante juego de atracciones y de rechazos que desorbita a los personajes. Es una historia fundada en el desvío y en el desvarío; es una intrahistoria penetrante de actores a destiempo y deslugar. Traslada a una topología y una cronología amétricas, oníricas. Este rompecabezas de ciudades imbricadas figura el vivir profundo, la subjetividad refractaria a la comunicación sensata y a las relaciones razonables. Poblado de objetos reflejos, de seres desdoblados, de presencias espectrales, de signos difusos, de ecos reminiscentes, narra una errancia fantasmática, una prehistoria que es historia apenas lo suficiente como para acceder a la conciencia convertida en relato.

El cuento se cierra hacia su inherencia literaria, la narración se abre a la trascendencia mundana. La obra de Cortázar extrema esa dialéctica propia de toda obra de arte, devela la disyuntiva que rige las opciones estéticas: concentrarse en lo propio o excentrarse hacia lo impropio, purificar o contaminar. Cortázar, escritor proteico, adopta la doble vía, practica la bifurcación. Su escritura se deja enajenar por la vocinglería de afuera, desparejar por la diversidad babélica; presa del vértigo aditivo o de la voracidad anexionista, se vuelve profusa, acumulativa. O se despoja y despeja, se repliega hacia su dominio específico; busca autoabastecerse y postula como objetivo principal su propio proceso de realización, sus valores intrínsecos.

La obra de Julio Cortázar es invasora colonia de pólipos, enjambre incontenible, transmigración de anguilas, pero también es poliedro de cristal tallado, sextante, sistema planetario. Es a la vez take y estro armónico, free jazz y clave bien templado. Cortázar es a la vez nigromante y pendolero, esfera y maremagno, trompo y tromba. Cortázar encarna todas las metamorfosis de ese genio proteiforme que llamamos literatura. Cortázar es, en cierto modo, toda la literatura.

Contar y cantar: Julio Cortázar y Saúl Yurkievich entrevistados por Pierre Lartigue

Ritmo, humor y juego movilizan su decir, son los encendedores, son los trastocadores tanto del contar de Julio Cortázar como del cantar de Saúl Yurkievich. Entre ambos hay una añeja complicidad estimulada por esta coincidencia en el arte de desentumecer el discurso. Por eso los he reunido, para que dialoguemos sobre prosa y poesía, o sea sobre los avatares de la palabra en la literatura.

PL: Considero que tú y Saúl representan dos géneros literarios, dos experiencias diferentes de la escritura. Tú has hecho muchas incursiones multigenéricas o intergenéricas; practicas a veces la poesía; insertas poemas entre tu prosa o los has compilado en *Pameos y meopas*. ¿Cuál es tu relación con la poesía desde ese foco central de tu obra que es la narrativa?

JC: Es una pregunta que me obliga a ir muy atrás en mi propia vida, incluso muy atrás en la historia. Nunca olvido que la filosofía griega no comenzó por la prosa sino por la poesía. Los presocráticos son poetas y el primer gran texto filosófico, el de Parménides, es un poema. Y en rigor, creo que la obra de Platón es la de un poeta. La humanidad empieza expresándose por vía del poema. Mirando históricamente, se diría que en el mundo grecolatino la poesía precede a la prosa, así como en la infancia del hombre la poesía viene antes que la prosa. El verso tiene sus dificultades específicas, pero deja pasar con toda libertad sentimientos, intuiciones, pasiones a los cuales la prosa pone freno con sus exigencias de comunicabilidad. Yo empecé escribiendo versos de los ocho a los doce años, luego llegué con mucha dificultad a la prosa. Lo que se da en la historia de la humanidad se repite en la historia individual. Me parece que he tenido, como todo ser humano, una relación inicial con la poesía; luego comencé a escribir cuentos o tentativas de novela.

SY: Luego, buscaste otro tipo de representación que la poética.

JC: Sí, el mundo del sentimiento puro —la elegía, el amor, la nostalgia— que me daba la poesía buscó situarse en el terreno propio de las ideas, de las acciones, de las descripciones que es el de la prosa. Pero nunca abandoné la poesía. Los dos primeros libros que publiqué fueron de poesía: una colección de sonetos y *Los reyes*, que siempre consideré como un poema en prosa. Nadie sabe qué es exactamente un poema en prosa, pero para mí el discurso de *Los reyes* es poético.

SY: *Los reyes* es un poema dramático.

JC: Claro. Allí hay una escenificación; hay también una discusión de los géneros, yo no acepto allí ni el verso ni la prosa. El texto está escrito en prosa pero con una intención poética; su ritmo interno muestra que estoy más centrado en lo poético que en lo prosaico.

He escrito poemas a lo largo de mi vida; algunos han sido recogidos en *Pameos* y *meopas*, título ligeramente irónico y cariñoso con dos anagramas de *poemas*. Que yo tenga una conciencia vergonzosa con respecto a la poesía, proviene de que ninguno de mis amigos gustara de mis poemas y que se entusiasmaran inmediatamente con mi prosa. Ellos, al igual que los críticos argentinos, me clasificaron como prosista. Esto me hizo considerar mi poesía como una actividad privada. Sólo en los últimos años, perdido el miedo al público, he metido poemas míos en algunos de mis libros y sobre todo en mis almanaques.

SY: Vos hacés una distinción entre prosa y poesía que hay que afirmar. Creo que resulta más certera si distinguimos entre narrativa y poesía. Lo específico del género narrativo no sería lo gnómico, porque la poesía no está exenta de mensaje cognoscitivo; lo específico sería lo anecdótico; lo anecdótico en tanto experiencia narrable, en tanto acontecer comunicable como fábula. ¿Hay en tu caso una especial predilección, un regodeo o regocijo por lo anecdótico?

JC: Sí, desde mi niñez me sentí atraído por lo que llamas anecdótico, es decir por determinadas situaciones que exigen ser narradas con un antes y con un después, con una coherencia que se desarrolla dentro de un cierto tiempo, aunque el tiempo sea fantástico.

SY: Atraído por la historia, por la historia antes que por el discurso.

JC: Por una historia de lo imaginario que pocas veces coincide con la llamada real. Sabés muy bien que la mayoría de mis cuentos son de tipo fantástico, pero no por eso son para mí menos reales.

PL: ¿Y en ti, Saúl, qué promueve tus textos?

SY: A mí me mueven las visiones. Yo nunca tengo vislumbres narrativas. Las mías son agolpamientos, o mejor dicho son visiones de estados. Nunca veo la realidad como una trama narrativa, como una ilación. Veo el mundo como un revoltijo, como una precipitada coexistencia de lo heterogéneo, como una simultaneidad arrolladora, como una multiplicidad inaprehensible. Por eso creo que la historia es una determinación artificial, la considero más efecto de lectura que razón de hecho. Nunca puedo ver historias porque todo se abigarra, se precipita, se entremezcla. Mi visión no es fija, pero no inscribe historias, no se entrama como historia. Nunca pienso en historias.

JC: ¿Nunca has escrito lo que pueda llamarse un cuento?

SY: He escrito cuentos míticos. Los cuento como un sueño. Me atraen como operadores de extrañamiento, por su sugerencia simbólica. No buscan el adensamiento de las acciones, carecen de espesor psicológico. Presentan una factualidad pura, lineal: no hay trama.

JC: Para mí, un cuento es lo contrario.

SY: Sin duda, vos sos un maestro del entramado narrativo.

JC: Partimos de principios distintos. Para mí, un relato que valga como tal supone el desarrollo de un mecanismo, una máquina que, a partir de una serie de elementos previos o finales, se organiza, se define y adquiere su autonomía como cuento. Se despega por completo de cualquier otro género: no es un fragmento de novela, no es un poema en prosa, no es el relato de un sueño. No es fragmentario.

SY: Yo no veo sino lo fragmentario. Puedo proponerme la funcionalidad, que la máquina poética obre con eficacia, pero no la organización total. No puedo concebir una forma cerrada, que adquiera perfil neto, enteramente delineada.

JC: Cuando señaláis el cierre de las formas estás indicando la condición *sine qua non* del cuento, no así de la novela. La novela tiendo a concebirla como obra abierta.

SY: Si yo cierro es por efecto retórico o paródico, porque estoy jugando con estereotipos, con convenciones. En tu escritura hay una mayor determinación semántica, en todos los niveles, que en la mía; hay una imponente presencia personal, una pasión, una voluntad de mensaje.

JC: Pero coincidimos, porque esa visión de lo fragmentario que se agolpa yo la aplico a la novela. Me parece que *Rayuela* es un libro vertiginosamente abierto, lleno de agujeros y de aperturas. Es, justamente, lo contrario de mis cuentos.

SY: En *Rayuela* utilizás, como yo en mis *Fricciones*, el sistema *collage* que permite ensamblar una heterogénea multiplicidad de componentes que no pierden su alteridad. Están hilvanados pero no reducidos a un denominador común. Visión dialéctica, contrastante, irresoluta, no está circunscripta por una determinación armonizadora que enhebre, que integre el todo en una representación si no unívoca, por lo menos unitaria. Lo mismo ocurre con tus almanaques. *La vuelta al día en ochenta mundos* y *Último round.*

JC: Bueno, con los almanaques hay que tener cuidado. En realidad, esos libros no se proponen como una obra, no tienen la voluntad de totalización propia de una obra. Son una acumulación de textos independientes. Nacen un poco de la nostalgia por esos almanaques de mi infancia, que leían los campesinos y donde hay de todo, desde medicina popular y puericultura hasta las maneras de plantar zanahorias y poemas. La única unidad posible reside en la escritura, proviene de que todos los textos fueron escritos por mí. Estos libros me gustan particularmente porque van contra la noción de género, muy quebrada ya pero que todavía hace estragos. Todavía críticos y lectores se sienten incómodos cuando no pueden clasificar una obra.

SY: La interpenetración, la transfusión, el circuito de vasos comunicantes que ha conseguido, si no abolir, por lo menos borrar las delimitaciones fijas entre los géneros, en la narrativa hispanoamericana ha sido operado sobre todo a partir de tu obra. Sos el desencadenante.

JC: Eso dicen los críticos, y también un poeta como vos.

SY: Si se hace historia, no recuerdo otro precedente

anterior; si se hace cronología, no veo otro antecedente más decisivo. Yo también he creído y creo en la interpenetración de los géneros, pero el viraje de la poesía latinoamericana hacia lo prosaico y anecdótico ahora me parece negativo. Evidentemente la poesía de los años cincuenta era demasiado solemne, demasiado sublimante, demasiado utópica y ucrónica, demasiado ahistórica, demasiado distante de nuestra experiencia inmediata. Entonces hubo un empeño en volverla a conectar con el mundo de todos, con la cotidianeidad, con la realidad concreta, en hacerla descender para que registrase en la lengua oral o lengua viva las restricciones de lo real empírico. Nuestra poesía se vuelve conversacional (para caracterizarla se la llama igualmente poesía prosaica o coloquial), doméstica, popular, callejera. Pero hubo una tal irrupción de la inmediatez en bruto, no conformada, no transfigurada que ese excesivo prosaísmo ha terminado por resultarme insignificante; me empalaga.

JC: No te parece, Saúl, que ha habido también el fenómeno contrario, que hubo empalagamiento poético en la prosa. Eso que Alejo Carpentier insiste en llamar barroco, considerándolo como signo distintivo de la literatura latinoamericana, ¿qué otra cosa es que una avalancha de vocabulario poético, de metáforas, aliteraciones, metonimias que atiborran la prosa y que hacen de toda descripción una especie de gran pectoral enjoyado? El barroco me aburre, salvo en sus formas más geniales, salvo en Lezama Lima.

SY: Hay pues que reforzar la especificidad de cada género: hay que poetizar la poesía y prosificar la prosa.

JC: Hay que encontrar el ritmo propio a cada expresión. Cuando publiqué los primeros cuentos, los de *Bestiario*, los primeros publicables, noté en la lectura algo que sentí al escribirlos, es lo que podríamos llamar una pulsión; podemos llamarlo ritmo, pero si tenemos el cuidado de no confundirlo con el *soi disant* ritmo poético tal como se manifiesta en la prosa de un Gabriel Miró. No, no es en absoluto eso; se trata de una especie de pulsación que no se basa para nada en los ritmos poéticos, endecasílabo o alejandrino; nada tiene que ver con el número de sílabas aunque quizá tenga que ver porque se trata de palabras. No hay deliberadamente la búsqueda de un ritmo medido. Cuando escribo percibo el ritmo de lo que estoy narrando, pero eso viene dentro de una pulsión. Cuando siento que ese ritmo cesa y que la frase entra en un terreno que podríamos llamar prosaico, me doy cuenta de que tomo por una falsa ruta y me detengo. Sé que he fracasado. Eso se nota sobre todo en el final de mis cuentos, el final es siempre una frase larga o una acumulación de frases largas que tienen un ritmo perceptible si se las lee en alta voz. A mis traductores les exijo que vigilen ese ritmo, que hallen el equivalente porque sin él, aunque estén las ideas y el sentido, el cuento se me viene abajo.

PL: Es como si al final, en las últimas frases, tuviese la sensación de descubrir el ritmo que buscabas a través de todas las otras páginas. ¿De qué proviene esa sensación, de algo satisfactoriamente consumado?

JC: De un sentimiento de fatalidad. Esas frases nacen de ese ritmo. No son ideas basadas en el ritmo. Es como si el ritmo y lo que se dice fueran la misma cosa. Ambos están totalmente fusionados y eso les da el carácter de cosa fatal.

PL: O sea que tal ritmo proviene más de las funciones gramaticales que del ritmo silábico. Y el ritmo silábico ¿te parece tosco?

JC: No, no me parece tosco ni menos interesante. Pienso que en ese ritmo está también dado el silábico. Me acuerdo, sobre todo, del final del cuento de *Bestiario* que da nombre al libro; allí no hubiera podido sustituir ningún adjetivo de cuatro sílabas por uno de tres, quizá más justo como sentido, pero que dejaba de serlo por no estar en ese ritmo. Todo debía darse dentro de ese molde rítmico y creo que ese molde es el que le está dando sentido a la frase.

SY: Ésa es absolutamente la definición de período poético, donde la selección de las palabras no se hace por libre sustitución sino por mandato de la contigüidad; la impositiva es la vecindad sonora.

PL: En la prosa de lengua española ¿con cuál escritor tiene la máxima satisfacción rítmica?

JC: Lezama Lima es uno de los ejemplos más satisfactorios, a pesar de sus muchas torpezas que para mí carecen de importancia al lado de sus muchos aciertos. El ritmo del período de Lezama Lima coincide exactamente con lo que está intuyendo y poniendo en palabras. Me gustan algunos capítulos de *El señor Presidente* de Asturias y sobre todo de *Hombres de maíz*, donde hay un capítulo llamado «Venado de las siete rozas» que es de una maravillosa perfección rítmica... Algunos momentos de Alejo Carpentier.

PL: No pensaba en autores modernos cuando te formulé la pregunta. ¿Y entre los clásicos?

JC: El Quijote. El ritmo de Cervantes es increíble. No siempre, por supuesto, porque eso que llamo pulsión o ritmo debe tener, como en la música, momentos de clímax, momentos de extremada tensión, que no pueden mantenerse porque desembocarían en la monotonía, y momentos de distensión, más prosaicos para permitir que la explosión en los culminantes adquiera toda su fuerza. Los grandes discursos del Quijote son de una belleza rítmica que me parece prodigiosa. Otro de mis grandes amores es *La Celestina.* El ritmo que *La Celestina* tiene en sus quince últimas páginas no lo tiene toda la literatura española junta.

PL: ¿Y tú Saúl qué piensas del ritmo?

SY: Coincido fundamentalmente con Julio. Para mí el ritmo básico es aliterante, está establecido por la fonación a través de un emparentamiento sonoro que se produce por imposición propia del decir, por una dinámica interna a la palabra. Es ritmo pulsional. No hay otra definición satisfactoria. Todo intento de análisis rítmico resulta insuficiente porque el ritmo vuelve el lenguaje a la base articulatoria de la fonación, lo devuelve al fondo corporal. Es kinésico, es una fuerza natural, profunda, un regreso al semantismo primitivo, original, orgánico. Para mí la homofonía es más determinante que la homología, el emparentamiento fonético más importante que el conceptual. Yo creo en los hallazgos provocados por la pulsión rítmica que concita sus propias asociaciones, las conjunciones o constelaciones del sentido.

JC: El ritmo descubre el sentido, el ritmo es un despertador de sentidos.

SY: El ritmo es un liberador del sentido, un liberador muy eficaz porque toda liberación tiene que tener un límite para no caer en la dispersión total. El ritmo le pone coto y provoca una tal disponibilidad semántica que parece que todo puede entrar. Vibrante, es un todo pulsátil que impone su vectorialidad.

PL: Tú hablas de ritmo aliterante pero escribes en verso. La aliteración se la encuentra también en la prosa. Supongo que el verso te plantea problemas que no tiene Julio.

SY: En efecto, yo tengo que resolver el problema

del corte, específico a la poesía. El verso impone un determinado tipo de formalización, una periodización que ejerce también una función rítmica. El verso es el conformador por antonomasia del discurso poético. Aceptada esta determinación, mi problema es desembarazarse en la lengua castellana de la versificación tradicional. Esta versificación está tan enraizada en nuestra percepción rítmica, está tan en relación con la economía sonora de nuestra lengua que es muy difícil escapar de ella. Si me dejo librado a mi propia espontaneidad, soy un poeta endecasilábico. Tal es la paradoja: mi espontaneidad es una espontaneidad reglada, porque es una espontaneidad condicionada.

JC: No olvides que el endecasílabo es una manera natural de respirar de la lengua española y que escribiendo prosa los endecasílabos salen continuamente.

SY: Sin duda. Yo no he hecho el análisis rítmico de tu prosa, pero es muy probable que si lo hiciera descubriría en ella una economía endecasilábica.

PL: Tú luchas contra el endecasílabo...

SY: El endeca, el endecasi...

PL: ...el endecasilabismo...

SY: ...el endecaencasillamiento.

PL: Tú luchas con ese corte mientras que Julio acepta el endecasílabo ahogándole en el flujo verbal.

JC: Lo acepto porque cuando estoy escribiendo no me doy cuenta de que se trata de endecasílabos.

PL: Tú sufres de la conciencia de una forma tradicional, mientras Julio se mueve a sus anchas en una aceptación inconsciente. ¿Quién te ha ayudado a contrarrestar el endecasílabo?

SY: En nuestra poesía contemporánea no hay mucha ayuda para contrarrestar el influjo del endecasílabo. En gran parte me ha ayudado Neruda, el Neruda de *Residencia en la tierra.*

JC: Huidobro, también.

SY: Huidobro a través de su trabajo desestructurador. En Huidobro hay una búsqueda que es retórica, formalista; hay un desmonte del endecasílabo y una experimentación de gran amplitud técnica. En Huidobro la noción de tecnicidad aparece muy de manifiesto. Neruda es lo contrario, su discurso oracular, salmódico parece un efluvio natural ajeno a toda geometría, a todo manipuleo lúdico.

PL: Hemos hablado extensamente sobre el ritmo,

pasemos ahora a la relación que uno y otro mantiene con el juego.

SY: El juego me es imprescindible en tanto despatetizador, en tanto desmitificador. El juego implica siempre una distancia, un desdoblamiento, una duplicidad. Sirve para contrarrestar las determinaciones totalitarias del instinto, del apoderamiento sentimental. Constituye esa salida siempre a mano contra toda clase de opresiones. El juego saca de las casillas, saca del condicionamiento consuetudinario. Jugar implica desautomatizar, descodificar. Jugar con el azar significa abrirse a lo inusitado, operar con las virtualidades sorpresivas, con prodigiosas potencialidades, Desde el punto de vista formal, el juego es la actitud más pródiga porque establece una relación de responsabilidad limitada con el objeto; permite encararlo sin exceso de adhesión, sin total identificación; permite desarticularlo irreverentemente, trastocarlo. El juego es el agente por antonomasia de las transformaciones.

PL: ¿Cómo se introduce la práctica del juego en la poesía?

SY: Se introduce de varias maneras: operando con las relaciones aleatorias, operando gratuitamente, operando en superficie. El juego rompe con la continuidad normal, normativa. Regido por el principio de placer, es una ruptura del realismo utilitario. Nos traslada a una zona de excepción donde recuperamos el libre arbitrio. Se da cuando no hay afán de comunicar un conocimiento grave, cuando no hay afán de convertir al discurso en vehículo de la experiencia profunda. En este sentido, el juego es para mí despsicologizador. Desegolatriza.

PL: ¿Introduces tú el azar en tu poesía?

SY: Sí, practicando una especie de escritura libérrima que no es escritura automática, porque no implica nunca entrar en estado de trance.

JC: Es decir, un juego de asociación libre de las palabras que se tiran de la cola unas a otras.

SY: Exactamente. Se trata además de la irreverencia, irreverencia lúdica, de lo contrario del enajenamiento. Yo no creo en la eficacia poética de los estados alucinatorios.

JC: Bueno, más que no creer, diría que no se dan en vos. Se pueden dar en otros.

SY: Sí, en vos.

PL: Aparte del azar, ¿hay otras prácticas de juego en tu poesía?

SY: Otra práctica de juego consiste en utilizar todas las posibilidades combinatorias del lenguaje. Hay juegos muy reglados como el de las variaciones en torno de un canon formal. Se puede extremar la simetría o provocar el desarreglo, de dispersión. Puedo coleccionar estereotipos, expresiones hechas, y activarlos mediante mezclas insólitas. Puedo utilizar la rima y extremarla, concebir un poema donde haya no sólo rimas finales sino el máximo de rimas internas.

PL: ¿Y tú Julio, coincides con la concepción que Saúl tiene el juego?

JC: Coincido absolutamente con su teoría del juego, con esa topología y tipología de lo lúdico, con las delimitaciones que ha ido estableciendo. Ahora, en lo que a mí se refiere, porque se trata de hablar de mi relación con lo lúdico, el juego es una noción muy seria. Desde niño, y ahora más que nunca, todo juego que sea verdadero, que no sea comedia o diversión momentánea, es decir el juego como lo juegan los niños o como trato de jugarlo yo como escritor, corresponde a un arquetipo, viene desde muy adentro, del inconsciente colectivo, de la memoria de la especie. Yo creo que el juego es la forma desacralizada de todo lo que para la humanidad inicial son ceremonias sagradas. Cuando estaba escribiendo *Rayuela,* pensaba ponerle un título más pretencioso, pensaba llamar a mi libro *Mandala.* Luego me pareció pedante y recordé que la rayuela es un mandala, sólo que los niños la juegan sin ninguna intención sagrada; entonces adopté la rayuela como símbolo de una tentativa metafísica, como búsqueda mística que supone una iniciación y una prueba, porque hay que avanzar con la piedrita de casilla en casilla y existe la posibilidad de fracasar, de no llegar nunca al cielo. Está la rayuela típica, la que juegan los niños franceses, y está la rayuela caracol, que también jugábamos nosotros en Argentina. El caracol es el laberinto cretense; el laberinto, uno de los primeros símbolos arquetípicos de la humanidad, es signo de misterio, de avanzar hacia lo desconocido para descubrir el secreto central. Creo que el juego es una pervivencia en nosotros de un contacto con fuerzas muy profundas que ahora vemos con menos claridad.

PL: En los jugadores de cartas de Cezanne, los dos

personajes tan hieráticos parecen ejecutar un acto ritual.

JC: Cuando muchacho, yo jugaba mucho al póquer que es un juego muy serio; no jugaba por grandes sumas de dinero, que para eso habría que haber tenido dinero; jugaba por placer. En el póquer, a través del enfrentamiento de varios adversarios, pueden definirse, pueden encontrarse la clave y la respuesta a cosas tan importantes como la amistad o el amor. Eso lo he vivido yo, he descubierto el secreto de un amigo en una partida de póquer. En el juego se ventilan otras cosas que van mucho más allá de ganar o perder.

PL: ¿Cómo se refleja en tu literatura esa actitud lúdica; por ejemplo en *Rayuela*?

JC: En *Rayuela* los elementos lúdicos son muy numerosos. La estructura misma de la novela es una proposición de juego. Yo propongo dos lecturas, pero muchas más son posibles. Esa noción de juego la he eplicado, viviéndola de una manera mucho más consciente en *62, Modelo para armar*. Allí el subtítulo está dando una apertura al lector para que juegue su juego. En muchos de mis cuentos aparece la noción de juego, sobre todo en *Final de juego* que explicita en su título esta noción. *Manuscrito hallado en un bolsillo*, que está en *Octaedro*, es un juego de vida o muerte que se juega en el metro de París. Trata de un hombre que se impone una regla de juego en la búsqueda de una mujer y ganará o perderá según que esa mujer elija o no una determinada correspondencia. Él tiene que cumplir la regla y pierde. El título indica que se tiró bajo las ruedas del metro. Creo que en este cuento he dado el máximo en esa fidelidad que tengo a lo lúdico. Es un ludus de muerte como el de los gladiadores, y no olvides que en *Todos los fuegos, el fuego* hay un combate entre gladiadores.

PL: ¿Conoces a alguien que haya aplicado esta concepción del juego a su propia vida?

JC: No personalmente, pero supongo que alguien como Marcel Duchamp se sitúa lúdicamente frente a la vida; la vida es para él un inmenso juego vertiginoso. Otro ejemplo es R. Roussel.

SY: Hablando de Duchamp, en su última exposición parisina aparecen dos obras hechas en Buenos Aires. La que más puede interesarte es un dibujo a lápiz sobre una fotografía del Río de La Plata; sobre esa monotonía sepia Duchamp ha dibujado un octaedro en forma de doble pirámide.

JC: Vaya, eso no lo sabía. Pero en cambio, a lo mejor recordás que en *Último round* cito el juego de Duchamp con los piolines durante su estada porteña. Yo concebí en *Rayuela* una escena semejante sin saber que Duchamp había estado en Buenos Aires. Estos encuentros me prueban que el azar dirige bien sus jugadas. El azar es una palabra en la que no creo.

PL: ¿Cuál es el papel del humor en tu obra?

JC: Desde muy temprano, desde que comencé a escribir, el humor ha estado ligado a lo que escribía. Una gran parte de la literatura española me parecía tediosa y pesada porque carecía por completo de humor. Desde muy joven fui un entusiasta de la literatura anglosajona. El sentido del humor es un invento y una propiedad de los ingleses. Ninguna literatura tiene mejores humoristas que la inglesa. Lo que más me atrajo fue ese descubrimiento que hicieron los ingleses, incluso Shakespeare, de utilizar el humor para decir cosas profundamente dramáticas e incluso trágicas, quitándoles de ese modo el mal gusto, la cursilería y el tremendismo que tienen cuando carecen de humor. El inglés utiliza el humor con finalidades sumamente serias. Basta ver cómo y cuándo aparece en literatura, aparece en los momentos culminantes para quitar truculencia a lo trágico. Eso me parece una gran lección, no sólo literaria sino de vida. Yo he tratado siempre de vivir utilizando mi sentido del humor para establecer una cierta distancia ante ciertas situaciones y poder verlas con mayor profundidad que si no tuviera esa distancia. Este humor afloró en muchos textos, sobre todo en mis novelas. Por ejemplo, en *Rayuela* hay situaciones que resultarían insoportables si no estuviesen acompañadas de humor, de un sentido del humor a veces muy serio. Las escenas más terribles, más dramáticas, necesitan del humor para pasar, para volverse aceptables. Y en el *Libro de Manuel* la presencia del humor es imprescindible para provocar el desbarajuste de la Gran Costumbre que dé paso a un orden más humano. El sentido del humor es una constante en mis novelas, porque el cuento, como género, no hace buena liga con el humor...

SY: ¿Y las *Historias de cronopios y de famas*?

JC: No las considero cuentos. Para mí el cuento tiene un argumento, constituye una esfera cerrada donde se desarolla una acción dramática.

SY: Entonces las *Historias de cronopios y de famas* son estampas.

JC: Llamalas como quieras, llamalas estampas o viñetas, como dicen los cubanos.

PL: ¿Y para ti, Saúl, qué es el humor?

SY: El humor es el arte de la reversibilidad, el antídoto contra todo exceso de determinismo, contra la fatalidad. El humor es el mayor contraventor de la solemnidad. Vacuna contra toda hegemonía despótica. Es el gran desacralizador. Como el juego, constituye una técnica de sustracción, de distensión, de distanciamiento. Contra el torbellino patético, contra la inflación frenética, contra la urgencia vital, produce un corte lúcido, un desdoblamiento irónico, un apartamiento liberador. Pienso en los múltiples humores, en el humor sorpresivo que descompagina lo legible, que descalabra lo previsible, en el humor negro que suspende la norma moral y el imperativo afectivo, pienso en ese juego de ecos, en esas bifurcaciones especulares que el humor paródico o el humor irónico producen, pienso en las reducciones al absurdo que el humor disparatado efectúa, pienso sobre todo, en el humor verbal que es el mayor desautomatizador de la lengua, el diversificador, el trastocador más eficaz. Porque sólo el humor puede provocar las mezclas más estrafalarias, los maridajes más heterogéneos. El humor es el arte de la superficie, reflota lo que gravita y rebaja lo que levita. El humor me corta las alas pero me saca del pozo ciego.

PL: Es decir que, según Saúl, el humor es un medio de defensa contra sí mismo y contra el mundo. Es una distancia...

JC: Es una distancia, sí, pero es una distancia que acerca. Si no sería un escapismo, es una distancia para ver mejor. Nosotros, latinoamericanos, necesitamos especialmente del humor.

PL: ¿Por qué los latinoamericanos en particular?

SY: Porque en América Latina hay una tendencia a la solemnidad que acartona y quita ductilidad.

PL: Comprendo. Si uno tiene en cuenta la horrible situación de América Latina, quizá la única manera de pensarla con cierta libertad sea la que da el humor.

JC: Así lo dije en el breve prólogo de *El libro de Manuel* que ha provocado tanta indignación en los compañeros militantes; ellos opinan que el humor no tiene nada que ver con la revolución. Yo creo que sí tiene que ver. En América Latina, libro dos grandes batallas, una por la liberación humorística, otra por la liberación erótica, por un humorismo y erotismo integrales que nos liberen de todos los tabúes que nos llegan, sobre todo, de la tradición hispánica. Lucho contra los «tortugones amoratados», como diría Lezama Lima.

SY: En América Latina libramos batallas contra todos los opresores, contra los censores, contra los comisarios.

JC: Contra los comisarios que no tienen sentido del humor y además son malos amantes.

Borges/Cortázar: mundos y modos de la ficción fantástica

Suele decirse que la narrativa fantástica se aclimató mejor a orillas del Río de la Plata que en otros ámbitos latinoamericanos. Algunos pretenden justificar este trasplante por el influjo del paisaje pampeano, de la monótona y dilatada planicie que invita a la abstracción universalista, al despegue trascendental, a la evasión fabulosa, a los juegos con el tiempo y con el infinito, es decir, al desapego de lo real inmediato. Otros conjeturan que la amalgama de remotos pueblos de ultramar implantados en ciudades horizontales, trazadas en damero, sin distingo, sin accidentes geográficos, sin resistencias naturales, sin vestigios de pasado vernáculo, sin rastros de primitivos moradores, creó el acondicionamiento cultural de lo fantástico, un género sin duda de índole netamente cosmopolita. En efecto, la literatura fantástica en América Latina cobra auge en los contextos más urbanizados, más modernos; allí donde se da un grado de desarrollo suficiente como para propiciar la manifestación de productos tan sofisticados; allí donde se puedan instaurar estos interregnos estéticos —interludios de azores y terrores placenteros—; allí donde la literatura, desgravada de las urgencias de lo real empírico, de los tributos y sumisiones al mundo fáctico, pueda asumir su máxima autonomía; allí donde hay márgenes de conciencia y de prescindencia suficientes como para establecer estos paréntesis tan refinados como libérrimos; allí donde la miseria, la opresión y la violencia sean menos imperiosas, menos avasalladoras.

Los artífices de construcciones imaginarias proliferan allí donde la conexión con lo metropolitano es mayor y más activa, en las capitales vinculadas al intercambio internacional, en las urbes babélicas cuyo afán cosmopolita provoca un constante acarreo de signos y de iconos desde los centros de almacenamiento a la periferia. La literatura fantástica se da mejor en el ambiente más mundano, el menos regionalista y menos etnocéntrico, el de los lectores de la biblioteca universal. Florece donde, borrada toda traza de los naturales de América (por su extinción o su exterminio), se trasladó la tradición retórica, la del culto al libro, aunque la literatura quede relegada por el sistema socioeconómico a la esfera individual y privada y a la satisfacción de necesidades accesorias. Jardín gramatical, florece lejos del influjo cautivante de las geografías grandiosas, en la ciudad moderna donde rige la cuenta y la razón, en la ciudad mercantil, industriosa, empírica y laica, que seculariza y profana toda sacralidad, incluso la telúrica, donde se atempera toda autoctonía.

No hay literatura fantástica ni en las áreas de presencia indígena ni en aquellas donde todavía gravita la influencia española. La literatura castellana, teologal pasatista y a menudo provinciana, con su obsesiva dialéctica de liturgia y de blasfemia, con sus contrastes violentos, con su inconciliable oposición entre lo áulico y lo popular, con su tendencia a la desmesura, con su gusto por lo lóbrego, lo truculento, demasiado enfática y verbosa, resulta incompatible con el preciso ajuste, con la sutil modulación, con el arte de la composición que la literatura fantástica requiere. (La misma causa hace que tampoco haya en España literatura policial.)

Ignoro si mi mundo bonaerense, anterior al de esta época de violación de todo fuero y de violencia exterminadora, constituía el contexto más favorable para el desarrollo de tales realizaciones irrealizantes, de este estilizado culto de lo enigmático; pero lo cierto es que allí aparecen, entre otros cultores del género, sus dos máximos exponentes: Jorge Luis Borges y Julio Cortázar. Dentro del amplio ámbito de la narrativa fantástica, ambos se sitúan en posiciones opuestas, marcan los polos entre los cuales fluctúa el registro de la ficción fantástica.

Jorge Luis Borges representa lo fantástico ecuménico, cuya ubicua fuente es la Gran Memoria, la memoria general de la especie. Borges se remite a los arquetipos de la fantasía, al acervo universal de leyendas, a las historias paradigmáticas, a las fábulas fundadoras de todo relato, al gran museo de los modelos generadores del cuento literario. Para Borges lo fantástico es consustancial a la noción de literatura, concebida ante todo como fabulación, como fábrica de quimeras y de pesadillas, gobernada por el álgebra prodigiosa y secreta de los sueños, como sueño dirigido y deliberado. Cortázar representa lo fantástico psicológico, o sea, la irrupción/erupción de las fuerzas extrañas en el orden de las afectaciones y efectuaciones admitidas como reales, las perturbaciones, las fisuras de lo normal/natural que permiten la percepción de dimensiones ocultas, pero no su intelección.

La diferencia radica sobre todo en los módulos de representación que uno y otro ponen en juego para figurar el mundo y el modo del relato fantástico. Si ambos nos proyectan hacia las fronteras de la empiria y de la gnoseología de lo real razonable, hacia los límites de la conciencia posible, hacia las afueras del dominio semántico establecido por el hombre en el seno de un universo críptico, inescrutable, reacio a las falibles estrategias del conocimiento; si ambos muestran la precariedad de nuestro asentamiento mental sobre la realidad, si ambos desrealizan lo real y realizan lo irreal, los dos operan con sistemas simbólicos diferentes. Borges apela a las imágenes tradicionales, a las metáforas acuñadas por la imaginación ancestral, a los símiles que presuponen la solidaridad del orden humano con el natural, la correspondencia del mundo sagrado con el profano; y aprovecha de lo que aún les queda de poder ritual, aurático, para provocar una suspensión distanciadora de lo actual, del contexto donde el relato se produce y se transmite. Cuando ubica la fábula en un contorno contemporáneo (que implica acatar esa circunscripción de procederes impuesta por la realidad social), se vale de sus sabios anacronismos para inficionar un presente escuetamente indicado con rasgos de pasados destemporalizados por el apartamiento mítico, con esa apariencia, con esa sugestión de eternidad que el extrañamiento estético infunde. O traslada desde él la ficción a un ámbito remoto en el tiempo y en el espacio, utópico, capaz de auspiciar de inmediato la mediación mitopoética. Borges cultiva la distinción enaltecedora, la elevación del estilo noble, los efectos de alejamiento que anulan las conexiones y coacciones fácticas, la subordinación a las prácticas comunes, que lo desvinculan del mundo de los imperativos pragmáticos. Incluso cuando asienta sus historias en ambientes contemporáneos, la visión arcaizante, canónica, atenúa todo rasgo de modernidad, de modo tal que ninguna señal actualice, localice o singularice la puesta en escena, para que ninguna contravenga la estilización propia de una fábula ejemplar exenta de las intromisiones de la actualidad, de un modelo sin incidencia de lo accidental, que por no confundirse con lo circunstancial y circundante resulta apto para repetirse en cualquier tiempo y cualquier lugar.

Pasar de Borges a Cortázar es trasladarse de lo teológico a lo teratológico. Cortázar parte siempre de una instalación plena en lo real inmediato. Su ubicación es coetánea y corriente, y prodiga en todos los planos —acciones, ámbito, personajes y expresión— índices de actualidad que prolongan en el relato el *habitat* del lector. Cortázar emplea lo que Northrop Frye llama el modo mimético inferior, el de la máxima proximidad entre mundo narrado y mundo del lector. El protagonista aparece como un *alter ego* del emisor y del receptor del texto; ejecuta acciones comunes a la experiencia posible de ambos dentro de un mismo horizonte de conciencia. El autor se remite a su propia personalidad para escenificar la de sus personajes porque está presupuesta la identidad fundamental entre los representantes y los representados, y sobre esta base comunitaria funcionan los mecanismos de la identificación. Cortázar utiliza el sistema figurativo del realismo psicológico con todas las marcas que denotan y connotan inmediatez, contigüidad y continuidad entre el texto y extratexto. Sobre esta apariencia de relato extensible subjetiva y objetivamente del orden de los signos al de las cosas significadas, provoca desde el interior de este encuadre en lo manido, presumible y previsible, el desarreglo enrarecedor, el trastocamiento inexplicable, una entropía irreductible, la descolocación que permite vislumbrar los poderes ocultos, entrever el reverso de la realidad. Cortázar pone en acción todos los recursos de acercamiento para establecer de inmediato la mayor complicidad con el lector, crea una relación de confianza psicológica y de inicial seguridad semántica. De ahí esa caracterización casi costumbrista, ese empeño en lo típico, en el detalle que subraya lo real, esa veracidad lingüística, ese coloquialismo que sitúa social y geográficamente a los actores, esa introspección que remite a la intimidad personal de un locutor no diferenciado del destinador y el destinatario del cuento. Cortázar sitúa, singulariza, individualiza a sus personajes, abunda en la indicación psicológica para que el retrato imponga una presencia lo más vibrante, lo más expresiva posible, una encarnación que parece prolongarse más allá de la letra, como si se pudiese prever la conducta de los personajes en circunstancias diferentes de las relatadas. Sus personajes son nuestros semejantes, prójimo familiar. Acciones y actuantes habituales sugieren un acaecer posible de ocurrir a cualquiera, acaecer corriente que por sutiles deslices se encamina a lo fantástico.

Borges no persigue ningún empeño en naturalizar el relato: evita toda pretensión de realismo, toda confusión entre literatura y realidad. Para Borges, lenguaje y mundo no son equivalentes, no son intercambiables. Para Borges, el mundo, esa aplastante insensatez, ese caótico colmo, ese infinito desatino, es definitivamente ininteligible; esa infinita e indivisa, esa ubicua y simultánea totalidad es directa, alegórica o simbólicamente indecible, no puede representarse con nuestros lenguajes lineales, sucesivos y sustantivados. Borges se sabe urdidor de imágenes sin alcance real, incapaces de franquear el foso que las separa de los cuerpos. El pensamiento no puede operar con estas singularidades individuales, con extremadas, con excesivas diferencias; necesita idear tipos genéricos, recortes y detenimientos que satisfacen las necesidades internas de la intelección, pero que no implican razones de hecho. La inalcanzable, la impensable verdad objetiva ha sido sustituida por una conformidad intersubjetiva que se postula como conocimiento y que no es sino un código interno que regla la articulación del discurso, que impone una restricción de los posibles y una determinada concatenación, como si los datos registrados y sus supuestas relaciones fuesen efecto de naturaleza. Para Borges, la historia no existe en el mundo fenoménico, no está prescripta en lo real, es un efecto de lectura que al inscribir lo discordante lo entrama por exigencia inherente a lo textual. Si toda historia es presunta, si toda historia es figurada, no queda otro consuelo que fabular ficciones que se saben tales, cuentos fantásticos que no se pretendan correlativos de la realidad, que se reconozcan de antemano como manipulaciones quiméricas.

Borges no particulariza, no individualiza, no singulariza, Borges afantasma, relativiza, anula la identidad personal por desdoblamiento, multiplicación o reversibilidad. Ejercitado en la desestima de sí mismo, considera al yo un ilusorio juego de reflejos, juzga toda diferencia individual como trivial y fortuita. Todo hombre es otro (todo hombre, en el momento de leer a Jorge Luis Borges, es Jorge Luis Borges), todo hombre es todos los hombres, que es lo mismo que decir ninguno. O todo hombre es único y, por ende, insondable, impensable. Ante la imposibilidad de conocer lo singular, opta por lo genérico desprovisto de realidad. Despoja a sus personajes de espesor carnal y espesura psicológica; sus señas, sus afectos, sus móviles, sus proceder es son los de cualquiera, o sea, de alguien que es todos y nadie. Reduce los posibles empíricos a las conductas fundamentales del hombre, sujetas a infinitas repetición. A menudo, ni nomina; sus personajes suelen carecer de nombre propio, no ofrecen siquiera ese rótulo básico a partir del cual acopiamos y ordenamos la información que les concierne. No se dan suficientes rasgos caracterizadores como para componer verdaderos retratos (interiores o exteriores, estáticos o dinámicos), para implantar al lector, como lo quiere Cortázar, en la piel y en la psique de sus personajes.

Lo fantástico, en un contexto donde las antiguas cosmovisiones dejaron de regir, no puede sino obrar en el campo de lo subjetivo porque implica siempre un atentado contra el dominio estatuido como objetivo, como realidad factible. Cortázar impugna sus afectaciones y efectuaciones; Borges refuta su pretendida coherencia y los mecanismos de su presunta verificación. Pero Borges y Cortázar muestran las falacias de la objetividad mediante procedimientos diferentes. Las figuraciones de Cortázar obran por percepto y no por concepto, constituyen una suerte de fenomenología de la percepción o, mejor dicho, una dramaturgia perceptiva. Representan algo así como un pasaje de lo psicológico a lo parapsicológico. Lo que comienza como turbación o perturbación de la conciencia se convierte en mostración o advenimiento de presencias o de potencias soterradas que rompen la costra de la costumbre, que rasgan la cáscara de lo apariencial. Cortázar acciona por desfase, descolocación, excentración para burlar la vigilancia de la conciencia taxativa; persigue el desarreglo de los sentidos para sacar al lector de las casillas de la normalidad, de la cronología y la topología estipuladas, para lanzarlo al otro lado del espejo, al mundo alucinante de los destiempos y desespacios, de las inesperadas concatenaciones e insospechadas analogías, a la otredad.

Continuador de la tradición romántica/simbolista/surrealista, Cortázar trata el texto como sistro revelador, como eslabón de la cadena magnética de lo real oculto, como verbo oracular. El relato actúa de psicodrama, obra como psicoterapia; se quiere exorcismo que desposee de fantasmas invasores, catarsis que objetiva obsesiones para liberarse de ellas. Cortázar acentúa la psicologización del mensaje que colinda lo psicótico; estrecha el trato con las zonas oscuras, desvela lo velado, registra los aflujos del fondo imperioso. Escrito en una impronta rapsódica donde la retórica se subordina a la pulsión, a la visión compulsiva, el cuento se desorbita y exorbita, es manotazo, exaltación, coágulo; lo contrario de la mesurada, de la pausada, de la pulcra, de la parca instrumentación borgeana.

Si Cortázar se sirve del registro psicológico, el de Borges corresponde a un estadio pre o paleopsicológico, que da lugar a un comercio más directo con lo fabuloso, lo prodigioso, lo sobrenatural, que le permite apropiarse de todo el caudal de la literatura sagrada, del atesoramiento bibliográfico de inspiración mítica y mística. El rico repertorio simbólico de la teología y de la metafísica es desviado del orden trascendental hacia la esfera de lo estético para componer laberintos espaciales, temporales, textuales; laberintos progresivos, retrospectivos, circulares; laberintos mentales que son pálido remedo de los naturales, que son menguada réplica, que son metáfora de ese otro laberinto que todo lo contiene: el inabarcable universo. Si en Cortázar hay atisbos de revelación, inminencias epifánicas, vislumbres iluministas, Borges efectúa un traslado más franco de lo religioso, aprovecha de las historias sacras, de los libros santos y de sus escoliastas, de esos dilucidarios de secretos esenciales. Cultor de arcanos, entabla en sus cuentos una extraña simbiosis entre enigmas textuales y enigmas factuales en íntima correspondencia, en relación especular: de ahí esa amalgama de lo ensayístico con lo narrativo, de ahí el empedernido carácter metaliterario que Borges infunde a sus ficciones. En ellas está omnipresente la condición interdependiente e intercambiable de un autor que es a la vez lector, urdidor y descifrador de criptografías. Borges niega la originalidad; afirma que toda escritura coexiste en el seno de una textualidad que la posibilita, condiciona e implica; toda escritura sólo puede hacerse efectiva dentro de esta concatenación que la involucra y circunscribe. Borges acostumbra a indicar en el curso de sus ficciones las fuentes bibliográficas que las suscitan; pone así de manifiesto sus mecanismos constitutivos; contraviene la tendencia centrípeta del relato, su fingida autosuficiencia, su simulacro de autogeneración; recusa los poderes demiúrgicos del narrador.

En Cortázar, la codificación de lo real es la mejor mediación de lo fantástico. La mímesis realista (personajes presentados como el más próximo de los prójimos y acciones encuadradas dentro del marco empírico y del alcance mental contemporáneos) oculta, merced al *camouflage* de las convenciones naturalizadoras, su índole de artilugio. Cortázar aprovecha con consumada pericia los recursos figurativos más modernos: el mosaico simultaneísta, la mixtura disonante, la visión plurifocal, la multiplicación de relatores, la confusión entre tiempo externo e interno, el flujo pluripersonal de la conciencia, la sugestión de lo real. En Borges, el diseño aparece como inmediatamente manifiesto, como conductor de un despliegue minuciosamente planificado. El relato se da como configuración estilizada, regida por una preceptiva, por un principio de simetría y eufonía; el autor no se expresa como personalmente implicado, guarda una serena neutralidad, una impasibilidad clásica. El cuento es una cristalización fabulosa vertida en un verbo proverbial, que elude toda proximidad confidencial, toda promiscuidad con el lector, cualquier llaneza intimista, todo idiolecto individualizador.

La actualización naturalista de lo fantástico, infiltrado en la estética de lo real directo, obliga a Cortázar a disimular lo gnómico, a remitirlo a los sentidos segundos, a trasladarlo de lo literal a lo simbólico. Sus cuentos son antropofanías presididas por una antropología nunca explícita. Aunque impugne las pretensiones y presunciones del totalitarismo logocéntrico, la gnosis con que se sostiene esta crítica es contemporánea. En Borges, lo gnómico aflora sobre la superficie del relato y suele ocupar tal espacio que lo hace oscilar entre lo anecdótico y lo teorético. Borges es deliberadamente arcaizante; todo lo remite a los modelos canónicos, a los universales fantásticos, a la imaginación ancestral. Manipula a la par todas las gnosis, de las remotas a las recientes, para inventar sus ingeniosas, sus impresionantes confrontaciones, intersecciones e imbricaciones. Lo fantástico en Borges resulta del cruce de las mitomaquias con las logomaquias. Es un arte combinatoria que acopla las cosmogonías memorables con las filosofías ilustres para instaurar ese ámbito desconcertante, ese vacío provocado por manifestaciones que remiten a un manifestante indiscernible, ignoto.

Anacronismo protector, salvaguarda un mundo perdido, el del tiempo circular, el del acuerdo armónico, el de la correspondencia comunicante entre orbe subjetivo y orbe objetivo. Implica rechazo del orden imperante, empobrecedor y tergiversador del sentido valedero. El arte, desafectado de las prácticas comunitarias, excluido del sistema de satisfacción de las necesidades reglamentadas, se recluye para protegerse contra la opresión reductora de la razón empírica. Quiere preservar por la fabulación y el extrañamiento la trascendencia inalcanzable de la práctica social, quiere recobrar la sacralidad profanada regresando al orden de los arcanos intemporales, reinstalándose en el contexto ritual donde las antiguas cosmovisiones recobran relativa vigencia. Presupone una antropología inmutable, una semántica eterna. Presupone que la capacidad del hombre para dotar al mundo de sentido está sedimentada en el mito, a partir del cual dicho potencial no ampliable se transfiere y transforma. El arte se encarga de proteger este caudal semántico amenazado por la razón pragmática.

Cortázar es un partícipe del mundo moderno; mantiene una relación activa con la actualidad en todos los órdenes. Se sitúa estética y políticamente en posiciones de vanguardia. Es, con respecto a su época, manifestante, practicante e interventor; está inmerso hasta el tuétano en la turbamulta de este presente de vertiginosas transformaciones. Y para figurarlo, procura adecuar sus módulos de percepción y sus instrumentos de transcripción a fin de que reflejen una experiencia contemporánea de la realidad. Lo fantástico interviene como afán de apertura hacia las zonas inexploradas, como amplificador de la capacidad perceptiva, como incentivo mítico y mimético que posibilite nuestra máxima porosidad fenoménica, nuestra máxima adaptabilidad a lo desconocido. Lo fantástico sustrae el lenguaje de la función utilitaria o didáctica, para permitir el acceso a otros referentes, a otras identidades; representa otro orden de factualidad regido por otro orden de causalidad; propone otras formas de existencia, suscita otro mundo y otro esquema simbólico para representarlo. Lo fantástico es, para Cortázar, agente de renovación, forma parte del humanismo liberador.

Borges: del anacronismo al simulacro

En el origen y en el término de la obra de Borges prima el poema. Quizá en esa música verbal, en esa forma del tiempo que figura los misterios de la memoria y las agonías del anhelo, en esa cadenciosa sujeción a un sistema de símbolos, en esa emotiva fábrica que es, como el casual autor y el lector ocasional, una de las configuraciones del sueño, quizá en la poesía resida la íntima continuidad que vertebra la obra de Borges, el álgebra y la clave de esa circunvalación.

Así como toda literatura principia por el verso, Borges empieza su actividad literaria por la poesía, para acercarse gradualmente a la narrativa, sin entrar del todo en ella o ingresando mediante sus peculiares mixturas, sus ensayos cuentísticos o sus cuentos ensayísticos, sus reseñas narrativizadas, sus ficciones bibliográficas o apologéticas. No las califica de cuentos, para no confundirlas con esos modelos propuestos por el realismo decimonónico, con esos simulacros naturalistas y psicológicos que presuponen la continuidad factual entre texto y extratexto, entre la representación y su pretexto. Y no llama cuentos a estas piezas porque las sabe andróginas o híbridas en tanto relatos.

Si en el ámbito narrativo Borges se singulariza por estos sugestivos Janos o centauros, por lo lateral o lo limítrofe de sus invenciones, por la transgresión o la mezcla de géneros, por la excentricidad en relación a los polos literarios tradicionales, su poesía se vuelve cada vez más observante, más tributaria de la prosodia clásica; se vuelve cada vez más sólita, más redundante, cada vez más circunscrita a una preceptiva canónica, cada vez más restringida al registro genérico. Su poesía, como su vida, parece tejer y destejer una misma, una cansada historia. Desplaza parecidas palabras en disposiciones semejantes, conserva imágenes y módulos hereditarios, reitera recursos que son de todos y de nadie; logra páginas válidas manipulando la limosna que le dejaron los siglos. Apela a un juego simplificado, a la seguridad de lo añejo para forjar versos adamantinos que puedan resistir el desgaste del tiempo:

Pido a mis dioses o a la suma del tiempo
Que mis días merezcan el olvido,
Que mi nombre sea Nadie como el de Ulises,
Pero que algún verso perdure
En la noche propicia a la memoria
O en las mañanas de los hombres.[1]

Versos perdurables que sobrevivan al autor y a su recuerdo, aciertos que serán de ignota procedencia y que volverán, como todo lo perenne, a la fuente donde se originan: la memoria de la lengua que la poesía perpetúa como ningún otro modo de expresión. O quizá Borges recurre a la simpleza técnica para indicar que ella conduce a la grandeza intrínseca.

Borges, poeta cada vez más circular,[2] más tautológico, casi inmóvil en su rotación sin traslación, ensaya las variantes de una combinatoria que paulatinamente restringe su margen de maniobra. Remeda los protocolos, las ceremoniosas reglas de una figuración que antaño fue espejo de un universo unificador, símil de las simetrías de una arquitectura de armónicas distribuciones y equilibrados contrastes. En nuestro universo contingente, desfigurado, en medio del desorden, de la diversidad incoherente, inconciliable, en la boca del horno abrasador, en la víspera de la desintegración, propone un gobierno inmutable, un reloj de príncipes reglado por el eterno retorno. Propone el regreso al orden, el trueque de las aventuras de la invención por las venturas del orden.

Para Borges la realidad es anacrónica, fundamentalmente regresiva; todo progreso es mero espejismo pro-

1. Jorge Luis Borges, «A un poeta sajón», *Obra poética* (Buenos Aires: Emecé, 1964, p. 247. (En adelante *OP*.)

2. Véase Saúl Yurkievich, «Borges, poeta circular), *Fundadores de la nueva poesía latinoamericana* (Barcelona: Barral Editores, 1969), pp. 119-137.

vocado por la ilusoria, por la voluntariosa visión historicista. Borges propicia y practica una poesía anacrónica, quiere reinstalarse en la matriz primigenia del género. Pero sólo puede recuperar la forma, no la esencia de esa idealidad perdida. Por un cambio radical de contexto, la figura ha cambiado de signo. Lo que fue imitación de un modelo que enaltecía la copia se ha convertido hoy en ambiguo simulacro.

Borges experimenta un tránsito gradual del expresionismo inicial al neoclasicismo, patente a partir de *El hacedor*. Mientras que en su poesía de impronta ultraísta marca ostentosamente esa modernidad concebida como afán de innovación, como movilidad y mutabilidad formales y focales, como dinamismo intensificador de los efectos, como avecinamientos y altibajos sorprendentes, como imprevisibilidad de dirección, como coqueteo con el dislate y la desfachatez, pronto se modera, censura todo exceso vanguardista, califica su primer estilo de «vanidosamente barroco» y se acoge sumisamente a la preceptiva clásica, a sus convenciones retóricas y simbólicas.

Reincide en la prosodia tradicional retomando los metros y las estrofas más usuales dentro de la versificación española: endecasílabos sujetos a sus constantes acentuales, heptasílabos dependientes de la economía rítmica del endecasílabo, octosílabos en coplas y milongas de inspiración vernácula, y el alejandrino reeditado por los modernistas. Entre las estrofas prima la cuarteta endecasílaba con rima consonante y va en aumento la insistencia en el soneto (a la italiana, con los espacios interestróficos, o a la inglesa, sin ellos).

Borges abandona paulatinamente el verso libre y las formas abiertas, renuncia a ese versículo whitmaniano tan frecuente desde *Luna de enfrente* (1925) y que casi cesa a partir de *El hacedor* (1960), única supervivencia de las señas de modernidad abundantes en su poesía juvenil. La poesía amétrica que antes representó el antipasatismo y antiacademicismo de un vanguardista convicto y confeso, que señalaba el deseo de ligar la dicción poética a la lengua oral, se reduce ahora a unos pocos textos cuyo modelo prosódico parece ser la salmodia bíblica o las sagas anglosajonas: «Yo anhelé alguna vez la vasta respiración de los psalmos o de Walt Whitman; al cabo de los años compruebo, no sin melancolía, que me he limitado a alternar algunos metros clásicos: el alejandrino, el endecasílabo, el heptasílabo».[3]

Borges establece su predio poético dentro del dominio de lo literario propiamente dicho, preestablecido como tal. Se limita a la reedición de las formas éditas, se confina en un espacio donde todas las señales denotan y connotan literalidad conforme a los cánones, literaridad centrípeta. La poesía de Borges se parapeta en los usos con linaje literario. Imitador de los monumentos, Borges se cierra al bullicio de afuera, a la diversidad prolífica que circunda las fronteras del reducto literario, que amenaza con invadirlo y confundirlo con el galimatías externo, con la lengua viva, con la lengua promiscua que no cesa de contaminarse y metamorfosearse. Borges defiende la literatura literaria de la voracidad entrópica de la otra lengua, de la logorrea de la lengua descentrada y desmedida. Su poesía se vuelve logométrica, aspira a una figura regida por la razón numérica, pretende encerrar el profuso universo dentro de una horma simétrica. A la percepción acompasada, a la visión unitiva corresponden una economía armónica, una isometría concertante. Contra la tremolina externa, Borges dispone su repartimiento repetitivo y reparador. Contra el gran barullo, impone el compás y la síncopa, la sincronía de un tiempo orbital, un mundo péndola, pausado y pautado, oasis de mesura en la desmesura. Contra el revolvimiento, la escansión. Contra la creciente errancia, contra el desorden de lo innumerable y lo ilimitado, contra el fragor del fondo sin ley y sin forma, contra el vértigo o el frenesí, el cubículo, el contador que regla y encuadra su orbe orbicular, el arte de ingenio que regula los centros, los ejes, los acordes, el geómetra que paralela los órdenes, que proyecta perspectivas concordables, que fragua un universo cadencioso, un universo dotado de sentido y en cuya trama el poema tenga su preciso lugar. Dios, en un sueño, revela al tigre que Dante vio y perpetuó en *Inferno, I, 32,* su ignorado destino: «Vives y morirás en esta prisión, para que un hombre que yo sé te mire un número determinado de veces y no te olvide y ponga tu figura y tu símbolo en un poema, que tiene su pre-

3. Jorge Luis Borges, *Elogio de la sombra* (Buenos Aires: Emecé, 2.ª ed., 1969), pp. 10-11. (En adelante *ES*.)

ciso lugar en la trama del universo. Padeces cautiverio, pero habrás dado una palabra al poema».[4]

En el plano léxico, Borges abandona la singularización, la localización, la diversificación lingüística. Va atemperando los desniveles de su poesía inicial, que hace ostentación de riqueza, que sobreabunda en cultismos, neologismos y regionalismos, que hace coexistir excéntricamente, en un mismo poema, una plétora expresionista y barroca. Muchos de estos textos desaparecerán de la obra completa, porque Borges prefiere a las máximas variaciones que prefiguran un porvenir las mínimas que pueden recuperar un pasado. Toda coloración idiomática —«exceso de hispanismo o de argentinismo»— será calificada de fealdad, todo neologismo de vana y vanidosa novedad: «El tiempo me ha enseñado algunas astucias: eludir los sinónimos, que tienen la desventaja de sugerir diferencias imaginarias; eludir hispanismos, argentinismos, arcaísmos y neologismos; preferir las palabras habituales a las palabras asombrosas...».[5]

En el plano de las imágenes se nota el mismo tránsito de lo particular a lo general, de lo individual a lo genérico, de la sustancia con su singularidad cualitativa, concretamente percibida en su despliegue sensual, adensada como materia corpórea o disuelta en haces de sensaciones superpuestas, a la esencia como pura proyección simbólica que transmuta la experiencia directa, los proteicos atributos de la realidad empírica, en modelos ideales, en paradigmas depurados por la sublimación y la estilización. Y el agente de esta decantación, de esta destilación, del pasaje de la materia turbia a la cristalina, el pasaje del aquí y del ahora embrollados, vividos en su tempoespacialidad inmediata, en su confusa mezcla psicosomática, en su implicación existencial, en su inserción en la apremiante urdimbre social, al orden proporcionado, al orbe circular de las regulaciones permanentes, a la previsibilidad, a la legibilidad de lo paradigmático, el agente de transformación de la vívida maraña en metáforas y mitos ejemplares, en arquetipos aptos por siempre y por doquier, es esa memoria imaginaria de la especie, ese quimérico

4. Jorge Luis Borges, «Inferno, I, 32», *El hacedor* (Buenos Aires: Emecé, 1960), p. 48. (En adelante *EH*.)

5. «Prólogo», *ES*, p. 9; véase también «Prólogo», *OP*, p. 12.

museo, esa conjugación de la retórica con la magia: la literatura. Y si en el origen de lo literario está la poesía, escribirla es para Borges rememorar y remedar las figuraciones, las fabulaciones de la imaginación ancestral. Sólo ese fondo inmemorial, según Borges, asegura la validez, la significación y la eficacia literarias. Ningún acierto puede envanecernos porque no nos pertenece, sólo los errores son nuestros: «Nada me cuesta confesar que he logrado ciertas páginas válidas, pero estas páginas no me pueden salvar, quizá porque lo bueno no es de nadie, ni siquiera del otro, sino del lenguaje o la tradición».[6] La propiedad intelectual, la autoría individual resultan reflejos ilusorios. Nadie puede apropiarse personalmente del lenguaje. Una escritura es o una fortuita combinación de signos o una de las tantas posibilidades combinatorias consentidas por el orden simbólico que las rige. Y en ese espacio espejeante, uno de sus espejismos es el de la posesión personal de la palabra. De ahí ese rebajamiento en Borges de su condición de autor: «Es trivial y fortuita la circunstancia de que seas tú el lector de estos ejercicios, y yo su redactor».[7] Por un lado, Borges se considera modesto afluente del gran río de la literatura universal, de la literatura trascendental. (Parafraseándolo, se le puede atribuir lo que dice de Quevedo: «Como Joyce, como Goethe, como Shakespeare, como Dante, como ningún otro escritor [Borges] es menos un hombre que una dilatada y compleja literatura.») Por un lado, Borges escribe bajo la advocación de los inmortales, con reverencia hacia ellos y desdén hacia su propia obra. Por otro, adopta máscaras, practica el simulacro y ejerce un humor irónico (menos frecuente en su poesía que en su prosa) que lo mantiene inmune al vértigo, al arrebato, ajeno a todo énfasis, a todo exceso de implicación: emplea sus técnicas de distanciamiento que imponen un tanto de ausencia, un margen de lúcido desapego, una escéptica reticencia. En sus manos, el texto se vuelve un juego de espejos, espejos de tinta que al multiplicar anulan la imagen del autor. Borges es a la vez amanuense y hacedor.

También en el orden de las metáforas se va operando el mismo estrechamiento, la reconversión de las metáforas sorprendentes en metáforas tópicas. En las ul-

6. «Borges y yo», *EH*, p. 50.
7. «A quien leyere», *OP*, p. 15.

traístas, metáforas radicales, las analogías se abren desbordando los marcos de referencia con ejes tan traslaticios que escapan a las limitaciones empíricas:

El madrejón desnudo ya sin una sé de agua
Y la luna atorrando por el frío del alba
Y el campo muerto de hambre, pobre como una araña.[8]

Luego viene la restricción de las libertades textuales, la retracción hacia lo literario protocolar. Borges renuncia a la libertad de asociación, desecha la imaginación sin ataduras, descree de las metáforas insólitas. Considera que son las prescindibles: meteoritos de corta duración que se extinguen pronto y pronto desaparecen del firmamento poético. Las válidas son las memorables, las arraigadas en la imaginación, las arquetípicas (la vida como río, tela, hilo, sueño, como reflejo del espejo o espejismo). Estas metáforas primordiales desplazarán en los poemas de Borges a las sorpresivas y sorprendentes, a las voltaicas:

Ver en la muerte el sueño, en el ocaso
Un triste oro, tal es la poesía
Que es inmortal y pobre. La poesía
Vuelve como la aurora y el ocaso.[9]

Los símbolos sólitos son, según Borges, los únicos garantes de la validez de un poema. De ahí que reduzca cada vez más su panoplia de alegorías y de emblemas, que reincida, que porfíe en laberinto, sueño, espejo, biblioteca, espada, arena, tigre. «A los espejos, laberintos y espadas que ya prevé mi resignado lector se han agregado dos temas nuevos: la vejez y la ética», reza en el prólogo de *Elogio de la sombra.* A ellos se añade ahora la ceguera, ceguera valorizada por el abolengo mítico (Tiresias, Edipo) y literario (Homero, Milton, Groussac):

Siempre en mi vida fueron demasiadas las cosas;
Demócrito de Abdera se arrancó los ojos para pensar;
el tiempo ha sido mi Demócrito.
Esta penumbra es lenta y no duele;
fluye por un manso declive
y se parece a la eternidad.[10]

8. «El General Quiroga va en coche al muere», *OP*, p. 80.
9. «Arte poética», *OP*, p. 223.
10. «Elogio de la sombra», *ES*, p. 155.

La ceguera lo absuelve del abigarrado y confuso mundo, lo exceptúa de toda novedad. Lo reduce al saber reminiscente donde lugares, caras, cosas, libros quedan fijados en la memoria sin porvenir. Y el tiempo es un regreso y todo converge (o parece converger) hacia su secreto centro. Pienso que sin ceguera física, la actitud de Borges hubiese sido la misma: igual circunscripción, el mismo anacronismo, semejante prescindencia, igual movimiento centrípeto hacia su inasible, su oscura esencia: «a mis años, toda empresa es una aventura / que linda con la noche».[11]

La poesía de Borges se torna así memorial de la literatura memorable, donde todo escrito halla su razón fundamental en la memoria literaria de su autor. Ningún recuerdo personal puede sobrepasar en importancia a la remembranza de una obra maestra: «Pocas cosas me han ocurrido y muchas he leído. Mejor dicho: pocas cosas me han ocurrido más dignas de memoria que el pensamiento de Schopenhauer o la música verbal de Inglaterra».[12] Su poesía se constituye con lo extraído del tesoro de la lengua y del museo de las bellas letras; la invención está reducida a la redisposición de esos materiales prefigurados. Borges cultiva un arte mnemónico, arte añejo que corresponde a una época en que los libros eran pocos y su memoria, dilatada, a la era de la transmisión oral y de la retentiva, anterior a la difusión de la letra impresa. Opera sobre la base de la literatura presente al espíritu, no confiada al soporte material de la escritura, menos releída que rememorada, o releída para refrescar su retención.[13] Y nada mejor para memorizarla que la andadura verbal, que una forma rítmica regular. Nada mejor que la sincronía, que la isometría. Esta mnemotécnica depende de la memoria artificial que sistematizaron los retóricos; apela no a la memoria individual, sino a la colectiva, o mejor dicho, a una memoria que deja de individualizarse para volverse depositaria del fondo común. Borges subordina el repertorio de recuerdos personales, el acervo autobiográfico, la mnemónica particular a la mnemotécnica retórica. Desecha la memoria natural y atenúa la

11. «Un lector», *ES*, p. 152.
12. «Epílogo», *EH*, p. 109.
13. Véase Michel Beaujour, «La mémoire réthorique», en *Miroirs d'encre* (Paris: Éditions du Seuil, 1980), pp. 81 y ss.

presencia personal: reprime la inscripción de la subjetividad. La presencia cultural predomina sobre la del sujeto psicológico. La poesía de Borges es un placentero paseo por los *topoi*, por los *loci* del teatro de la memoria, donde se aloja y se despliega la razonada arquitectura del saber.

La poesía de Borges es colecticia, *silva de varia lección*: abunda en reflejos e interpolaciones. Está hecha de citas, préstamos, imitaciones, o sea, de rememoración. Es, como toda literatura, básicamente apócrifa, compuesta de simulaciones, de disimuladas interpolaciones. Artificioso ensamblaje de figuras y modos preexistentes, ingenioso montaje de textos preformados, es como toda literatura astuto plagio: como toda literatura, es simulacro.

Borges imita los modelos magnos, pero no puede producir copias que hayan interiorizado la semejanza con el original porque coinciden con él en letra y en espíritu, copias-iconos modeladas interiormente por la misma idea.[14] En la era de la sacralidad profanada, de la profanación de los arcanos, en la ciudad moderna, laica, mercantil y pragmática, en la sociedad regida por la cuenta y la razón, que relega el arte a la esfera individual y privada, que lo reduce a pasatiempo apto para satisfacer necesidades accesorias, Borges no puede ser más que solitario pescador de maravillas. No puede sino coleccionar prodigios a través de una lectura desviada, al sesgo, de esos reservorios de portentos que son las literaturas no de inspiración, sino de visión mitológica, a las que acude en busca del estímulo fantástico, de lo apropiable, de lo aprovechable para urdir sus fantasmagorías. Borges no puede sino comerciar con apariencias, no puede alcanzar la esencia subvertida por el ocaso de los dioses. Está condenado al simulacro, a los ídolos degradados, recluidos ahora en el reducto de lo estético. Apela a los símiles que presuponen la solidaridad de lo divino con lo mundano para aprovechar lo que les queda todavía de poder ritual, aurático, para provocar una suspensión distanciadora del contexto donde el texto se compone y se transmite; se vale de pasados destemporalizados por el apartamiento mítico

14. Retomo aquí la distinción platónica entre copia-icono y fantasma-simulacro. Véase Gilles Deleuze, «Simulacre et philosophie antique», *Logique du sens* (Paris: 10/18, 1973), pp. 347 y ss.

para provocar esa apariencia de eternidad que el extrañamiento estético infunde. Traslada la figuración a ámbitos legendarios capaces de propiciar de inmediato la mediación mitopoética, pero las claves de ese sortilegio están perdidas. El arte de magia ha sido rebajado a arte de ilusión. Antes y ahora, decir lo mismo no es lo mismo por las variantes connotativas impuestas por cortes históricos, axiológicos, epistémicos que modifican fundamentalmente el contexto. El reencuentro con la mentalidad mágica no puede sino ser irónico o paródico; se da fuera del saber de origen. Subsiste la apariencia como efecto exterior del simulacro, que conlleva a la vez coincidencia y divergencia con respecto al modelo. No hay eterno retorno: la semejanza simulada pone en evidencia el funcionamiento peculiar del simulacro, portador de un poder que niega al original y a la copia. No hay por fin ni punto de vista ni jerarquías comunes, no hay tampoco objeto común. La obra resulta un condensado de coexistencias disímiles: reescritura, *remake*. La simulación, desprendida de su objeto, libera el fantasma, la imagen desfigurante, conductora de alteridades incontrolables, que ocupa el lugar del objeto (en Borges abundan más los fantasmas teológicos y oníricos que los eróticos) para permitir un trato desembarazado con lo figural, desembarazado del orden objetual: «lo real se confundía con lo soñado o, mejor dicho, lo real era una de las configuraciones del sueño».[15] Establecida, como lo hace Borges, la identidad fundamental entre existir, soñar y representar, todo se vuelve figuración fantasmática, teatro de abstracciones, onirogénesis. Para rehuir el odiado sabor de la irrealidad, Borges, diestro en el hábito de simular, juega a ser otro; se deja habitar no por el alma de Homero, de Dante o de Shakespeare, sino por sus fantasmas, hasta agotar las apariencias del ser; pero no hay reencarnación posible: sólo simulacros.

En ese ámbito fantasmático, lo falso revela su potencia. Subvierte el orden, destituye la jerarquía, perturba la fijeza, instaura el mundo de las distribuciones nómadas, siembra la anarquía, se traga todo fundamento, torna espectral cualquier relación entre mente y mundo. El simulacro ficcional vuelve superchería la supervivencia mítica en el seno de una sociedad que la soporta parcialmente y que ha perdido el secreto de

15. «Parábola del palacio», *EH*, p. 42.

las artes de encantamiento. Y a la vez, el simulacro, instigador de fantasmagorías, al liberar de las represiones realistas, despierta las fuerzas ocultas, da paso a los desplazamientos de esa alteridad subyacente que disemina su presencia diversificando el orden semántico. Las máscaras no son inalterables ni los signos impasibles. El entretenimiento se vuelve demoníaco. Por la imposible domesticación de los símbolos, la cosmología, reglada por una preceptiva clásica, vira a pandemonio. Los contenidos latentes pujan por devolver la imagen clara al fondo revuelto, y la coherencia de la representación resulta amenazada por una incontrolable errancia. Como en Chesterton, las proporcionadas asignaciones pueden convertirse en despropósito: «la valerosa obra de Chesterton, prototipo de la sanidad física y moral, siempre está a punto de convertirse en una pesadilla. La acechan lo diabólico y el horror; puede asumir, en la página más inocua, las formas del espanto».[16] Bajo la superficie de la fachada apolínea, irrumpen las series divergentes, portadoras de diferencias irreductibles, que ningún principio cohesivo consigue concordar. Ellas imponen la discontinuidad, la discordia de las causalidades incompatibles.

El círculo del eterno retorno se vuelve indefectiblemente excéntrico, con un centro en continuo desplazamiento. La representación cambia de signo. Lo religioso queda despojado de poder epifánico, lo esotérico pierde su capacidad mediúmnica, lo metafísico pierde su proyección numénica. El juego retórico ocupa el lugar de la revelación. Los ídolos son destituidos, descienden rebajados a fenómenos de feria. Los dioses, destronados, degeneran en facinerosos, en mestizos de rasgos achinados, en canalla de lupanar. A la estirpe olímpica se le han atrofiado los rasgos humanos; ya no sabe ni hablar.[17] La regresión hacia lo infrahumano convierte a los olímpicos en animales de presa, los transforma en los caóticos ídolos de la sangre, de la tierra y de la pasión, venerados, según Borges, por una era bajamente romántica como la nuestra. Los majestuosos son descendidos hacia la entraña sanguinolenta, hacia la irracionalidad visceral, hacia esa profundidad que horripila

16. Jorge Luis Borges, «Sobre Oscar Wilde», *Otras inquisiciones (1937-1952)* (Buenos Aires: Sur, 1952), p. 97. (En adelante *OI*.)

17. «Ragnarök», *EH*, p. 47.

a Borges, hacia «la maciza realidad primordial / de goce y sufrimientos carnales».[18] Allí caduca la serenidad borgeana, cesa la impasibilidad incorporal: el sentido no puede ya desprenderse, no puede exorcizar las acciones y pasiones de los cuerpos. Los símbolos se degradan; la mortífera flecha que nubló el sol en la batalla y permitió al guerrero conquistar nuevas tierras, el lazo que sujetó indómitas bestias, la cruz que fue patíbulo de un dios quedan hoy relegados a la condición de signos inocuos:

> Cruz, lazo y flecha, viejos utensilios del hombre, hoy rebajados o elevados a símbolos; no sé por qué me maravillan, cuando no hay en la tierra una sola cosa que el olvido no borre o que la memoria no altere y cuando nadie sabe en qué imágenes lo traducirá el porvenir.[19]

Ni el sueño posee ya la omnipotencia capaz de concebir un tigre malayo. Ni ese transporte hacia la zona del deseo que absuelve del tiempo y del espacio restrictivos permite engendrar el tigre rayado: «Aparece el tigre, eso sí, pero disecado o endeble, o con impuras variaciones de forma, o de un tamaño inadmisible, o harto fugaz, o tirando a perro o a pájaro».[20]

A través de su diestro, de su obstinado anacronismo, Borges se empeña en salvaguardar las virtudes primigenias del poema, en devolverlo a su fuente y su origen: la memoria retórica y la memoria mítica. Cultiva los efectos clásicos de alejamiento que desvinculan el texto del presente circunstancial y del mundo circundante. Invalida toda noción de actualidad y rehúye su notación. Hace mucho tiempo que renegó de la vanguardia, hace mucho que se cree absuelto de «la obligación del todo superflua de ser moderno». Pocos escritores contemporáneos son objeto de su veneración. Aparte de Whitman, Wilde, Chesterton, Bloy, Yeats y Wells, que consideró finiseculares, no veo sino dos: el decisivo Franz Kafka, que genera a la vez sus sucesores, y sus precursores,[21] a quien Borges traduce, cita, comenta e imita, y James Joyce, cuyo *Ulises* es doble

18. «El truco», *OP*. p. 27.
19. «Mutaciones», *EH*, p. 37.
20. «Dreamtigers», *EH*, p. 12.
21. Véase «Kafka y sus precursores», *OI*, p. 126.

paradigma de modernidad y de ancestralidad. En «Invocación a Joyce»,[22] lo eleva al rango de modelo de su generación, *the lost generation,* como la llamó Gertrude Stein. Mientras todos jugaban a ser los Adanes del siglo naciente, adamitas de un mundo auroral que esperaba ser nombrado, mientras todos se agrupaban en ruidosas sectas para reinventar la literatura practicando innovaciones ahora reducidas a ceniza, Joyce, tesonero y riguroso, se aplicaba a la construcción de sus arduos, infinitos laberintos. Ese perdurable dédalo, según Borges, justifica, redime a toda su generación.[23]

A pesar del menosprecio por la vanguardia, Borges guarda la marca del ultraísmo («el ultraísta muerto cuyo fantasma sigue siempre habitándome»), guarda las huellas de aquella literatura hecha de sorpresas dictadas por la vanidad y el azar. No puede dejar de ser moderno, no puede evitar leer y ser leído como contemporáneo de Kafka y de Joyce. Sabe que todo libro está inserto en la textualidad de su época, entretejido con la literatura coetánea que condiciona tanto los modos de escritura como de lectura: «Una literatura difiere de otra, ulterior o anterior, menos por el texto que por la manera de ser leída: si me fuera otorgado leer cualquier página actual —ésta, por ejemplo— como la leerán el año dos mil, yo sabría cómo será la literatura el año dos mil».[24] Sabe que cuando Luciano de Samosata impugna a las deidades olímpicas obra como polemista religioso, y que cuando Quevedo reitera el ataque no hace más que rendir tributo a una tradición literaria. Sabe que puede hacer funcionar el anacronismo como simulacro de eternidad, pero que ninguna regresión, ninguna nostalgia puede devolverlo a los pasados venturosos. Ni su pasatismo poético, su ausentismo histórico, su protegido jardín gramatical, su culto

22. *ES,* pp. 115-116.

23. Borges parece ignorar que el *Ulises* de Joyce, confrontado en este poema con la modernolatría futurista, consuma magistralmente la instalación de la literatura contemporánea en la modernidad. Parece también ignorar las fecundas innovaciones de ese otro nostálgico de pasados egregios que fue Ezra Pound. La única alusión a Pound la hallo en OI, p. 82: «El deliberado manejo de anacronismos, para forjar una apariencia de eternidad, también ha sido practicado por Pound y por T. S. Eliot».

24. «Nota sobre (hacia) Bernard Shaw», *OI,* p. 193.

a lo legendario, su cultivo de teodiceas, sagas, mitologías exóticas, su ocultismo de invernadero, ningún talismán de letras lo preservan por fin de nuestro tiempo. Como nosotros, no escapa a la conciencia escindida, no puede eludir la discontinuidad y la fragmentación que son inherentes a nuestra condición humana. La unidad cognoscitiva está quebrada y lo está también la estética, como han sido fisurados todos los continuos. Sólo un paréntesis candoroso o lúdico, algún interludio fabulador permiten evocar un mundo concordante a contramano de la dispersión, lejos del ruido de fondo sin ley, aparejar una rosácea de palabras, urdir una treta geométrica al margen del desorden, un sistema obediente, una sincronía capaz de contener la agitación plenaria, la vociferación babélica, una cadenciosa quimera contra la nube quemante. También Borges debe asentar sus figuraciones, su cosmología, sobre un ser dislocado y discordante como el nuestro («Mi vida que no entiendo, esta agonía / De ser enigma, azar, criptografía / Y toda la discordia de Babel»).[25] Si por un lado vislumbra un dios que condesciende al lenguaje que es tiempo sucesivo y emblema, si por un lado presiente un universo unánime donde el poema ocupa su sitial, por el otro se empecina en figurar desdoblamientos anuladores, laberintos sin fin, infinitos negativos, en representar la doble amenaza que desbarata la posibilidad de un mundo humano. La amenaza de abajo: la naturaleza voraz e inextricable, el dislate del instinto, la barbarie irracional, el galimatías del fondo carnal, el indiscriminado maremagno (Borges siente el pavor de lo ignorado, lo entrópico, lo desordenado, lo indiscernible). La segunda amenaza viene de arriba: la abstracción hipostasiada, la irrealidad de la letra y del número librados a su propia funcionalidad, la anemia de la autorreflexión («Dios me ha devuelto al mundo de los hombres / A espejos, puertas, números y nombres»).[26] Borges sabe que buscar el sentido implica perderlo, implica querer hacer extensivo el orbe del sentido establecido por el hombre, en función de sus propias exigencias mentales, al mundo que está fuera de su conciencia. Entre mente y mundo sólo cabe un acuerdo precario, que permite instrumentar la realidad pero no conocerla. Encima, la razón, ebria de simetría, se

25. «Una brújula», *OP*, p. 159.
26. «Alexander Selkirk», *OP*, p. 232.

solaza en su delirio arquitectónico, tiende a imponer su homogéneo absolutismo, anulador de toda singularidad, su gélido sueño: el imperio del orden funcional, que Borges teme tanto como nosotros. La razón pura, liberada de las especificaciones corpóreas, expulsando de sus formalizaciones los reclamos de la subjetividad, instaura la dominación impersonal del sentido único, del sentido recto. Y la conciencia se extravía en un juego sonámbulo persiguiendo los fantasmas de razón, los espectros de un orden superior que promete falazmente reglamentar el mundo y librar las claves de un conocimiento definitivo.

Borges, antólogo de la literatura infernal, experto en espantos, no puede librarse de ese algo secreto y central, que en el barro de su yo propende a la pesadilla. Montón de espejos rotos, sabe que ningún orden secreto gobierna el desorden, la incoherencia y la variedad del mundo que estamos compulsados a habitar. Sabe que este mundo oprimente no es una de las formas del sueño, y que su máquina harto compleja gravita aun cuando los soñadores dejen de soñarlo. Constituido, como nosotros, de materia deleznable, de misterioso tiempo, sabe que sus libros nunca lograrán ser impenetrables a la contingencia. Sabe que no hay otro eterno ahora que el que promete la fábula, motivada por la ilimitud del deseo. Sabe que si, por ardid retórico, la cronología puede perderse en un orbe de símbolos, nadie consigue rehuir a su tiempo. Borges está irremisiblemente destinado a ser Jorge Luis Borges, tan real como el mundo de hierro donde ocurren nuestras vidas. Aunque fugue, aunque reniegue, no tiene escapatoria: Borges está condenado a ser nuestro contemporáneo.

La resta o el arresto *

La literatura es un campo de fuerza, campo magnético, un cuerpo de una enorme excitabilidad atravesado por todos los quereres, los haceres y los decires de una sociedad. La literatura establece la inscripción, es decir la figuración, es decir la simbolización de las entidades, de las identidades reales e ideales, de los modos de relación, de producción y reproducción de una comunidad. La literatura participa de los sueños, de los mitos, de los proyectos, de las luchas, de los conflictos y encontronazos, de las disposiciones, de las rupturas de la cadena social. Es uno de los canales por donde circulan las señales, los síntomas, todos los acarreos de signos manifiestos u ocultos, evidentes o virtuales, por donde pasa la pululación de los mensajes que se profieren o se sugieren en todo el ámbito social. Por ella hablan los emplazados y los desplazados; por ella hablan los sociales y los asociables; por ella hablan los posesivos, los poseídos y los desposeídos. En ella asientan su traza lo consciente y lo inconsciente, las zonas de la clarividencia y las zonas de la oscurividencia, las convicciones y los pálpitos, las certidumbres y las incertidumbres. En ella se marcan los límites, las aceptaciones y las transgresiones de las prácticas instituidas y estatuidas.

La literatura es la válvula de escape de todo lo que excede el marco de las conductas socialmente admisibles. Ella es la compensadora imaginaria de todas las

* Este texto fue leído en el simposio sobre literatura argentina organizado por la revista Point of Contact y la New York University, en octubre de 1979. Lo motiva esa censura solapada que entonces se ejercía, en mi país, sobre los libros de Julio Cortázar.

restricciones, coerciones y opresiones de lo real empírico. Ella permite salirse, aunque sea fantasiosamente de la estrechez del mundo posible, desacatar los valores de uso, ausentarse del tiempo y del espacio de la experiencia factible, volver al comienzo, recuperar lo perdido, instaurar la república ideal, instalarse en el lugar sin límites, llegar a la presencia plena, a la completud que el orden imperante imposibilita, a lo adanico y edénico.

O la literatura es esa encrucijada donde se desarticulan, donde se descompaginan, donde se subvierten los aparatos sociales para contrarrestar su fijación, su rigidez. La literatura que propone el desacato a las afectaciones y efectuaciones del orden imperante, las revierte operando sobre su principal agente de transmisión, sobre el lenguaje, para desestabilizarlo, para revolverlo, para reintroducirle la carga impaciente de las heterogeneidades reprimidas, las contradicciones movilizadoras, el revoltijo censurado, la deriva, el ruido del fondo, porque la remoción es la condición de la renovación.

Muchas veces la literatura debe decir la diferencia, la negación neurótica; debe hacer estallar los sentidos admisibles, el orden razonable, la lógica de los dominadores. Muchas veces la literatura debe comunicar la ruptura de la comunicación, debe apelar a los mensajes limítrofes, única manera de designar un universo intolerante e intolerable. Debe salirse de las casillas para restablecer, aunque sea a través del desquicio, la pujanza de la subjetividad rebelde, la pluralidad pulsional, inconciliable con un sistema que pretende imponer un consenso unitario y reductor. La literatura dice el desatino, el desasosiego y la disociación, la turbamulta refractaria al orden censorio. Una literatura abierta a la movilidad relacional es la única capaz de asegurar el explayamiento, o sea la salud, del sujeto y de su sociedad.

La literatura es un bien social. Intermediaria entre sujeto y mundo, ella permite a través de sus transcripciones aprehender esa demasía de heterogeneidades simultáneas y díscolas que es toda realidad. Sólo la proyección de lo real en el orden simbólico posibilita una captación comprensible. Nuestra literatura es la mediación imprescindible para representarnos la imagen de ese maremagno móvil, multiforme y plurívoco que es la Argentina. Y en el modelado de esa figura participa todo el muestrario de nuestros escritores, los rurales y los urbanos, los provincianos y los porteños, los solemnes y los desfachatados, los pasatistas y los progresistas, los integrados y los marginales y los apocalípticos.

La Argentina tal como la conocemos es en gran parte una creación de sus escritores. Puede decirse que nuestra literatura, espontánea o programáticamente, se ha propuesto inscribir nuestra Argentina, configurarla y fabularla por la palabra, plasmarla en imagen comunicable y cognoscible. Asumiendo el condicionamiento de una lengua localizada y de una historia particularizada, asumiendo el vínculo entre el arte y el medio en que se genera, nuestros escritores han sabido convertir dicho condicionamiento en motor movilizador, en matriz inspiradora, en materia prima de su producción. Acuciados por la pujanza de una realidad que presiona para que se la consigne, nuestros escritores se han localizado e historificado en busca de los recursos de transcripción más aptos para verbalizar esa tremolina contradictoria, ese bullente atolladero, ese entrevero de disparidades, ese revolvimiento eruptivo que es la Argentina, para captar y para manifestar la complexión de lo real en vivo vilo.

En la literatura argentina concurren todas las voces, todos los ámbitos, desde los cenáculos sofisticados hasta las barras de barrio, desde la jerga porteña hasta las hablas campesinas; en ella se presentan letrados e iletrados, los que están al día y los atrasados, los modernólatras y los relegados al letargo mítico, los centrales y los condenados a la excentricidad arcaica, al avecinamiento de la modernidad sin poder nunca entrar de pleno, los metropolitanos y los periféricos, esos surrealistas por pecado original. Ella es el teatro de nuestras pugnas entre tecnócratas y vernáculos, entre internacionalistas y nacionalistas, entre el país que tira para adentro y el país que tira para afuera. Ella pone en escena el tira y afloje entre historia e intrahistoria, el choque entre lo agroautóctono, nostalgioso de un pasado hispanocolonial que supone de clara identidad étnica, y el vertiginoso desarrollo urbano. Nuestra literatura consigna los desajustes provocados por el aluvión inmigratorio de masiva implantación ciudadana, los rechazos del tronco indo-español ante el injerto europeo, las disritmias de sectores con idiosincrasias e intereses en conflicto, el antagonismo entre grupos que se empeñan en monopolizar todas las instancias del poder y las masas en ascenso que pugnan por una mayor participación.

Procederes, maquinaciones, aspiraciones, pasiones, obsesiones, todo pasa por nuestra literatura, lo que se palpa y palpita, lo asible y lo fantasmal, lo que consta y lo que se sueña. Todas las circulaciones sociales y subjetivas atraviesan nuestra literatura, pantalla donde se proyecta la conciencia individual y colectiva, intersección donde empalman los universos íntimos con el universo público. En ella se instituyen y destituyen los dispositivos socializados. En ella se gesta el sincretismo cultural que está en la base de nuestra constitución como pueblo.

Creo que el conocimiento que nuestra polifónica literatura propone acerca de nuestra inestable, discontinua y agitada realidad, es más pertinente y penetrante que el aportado por los análisis propiamente sociohistóricos. Por su multiplicidad focal, su multidimensionalidad, su multidireccionalidad, por conllevar distintas ideologías en conflicto, ayuda a desbaratar y a superar las codificaciones anacrónicas o las lecturas esquemáticas, demasiado fijadas en pautas que el constante removimiento argentino desquicia, o en sistemas cerrados o reductivos, incapaces de adaptarse al barullo, a la compleja y cambiante disparidad de nuestro mundo.

Los lectores fueron los primeros en descubrir una literatura que los representa, que responde a sus expectativas, que conjuga la eficacia estética con un poder localizado de incidencia en lo real. Mientras los escritores estaban, como siempre, interrogándose dubitativos, con conciencia culpable acerca del sentido de esa manipulación individual de la letra, de ese comercio espectral con signos vacantes, de ese afán por maquinar artilugios, entes de ficción que no pueden trascender su condición de espejo; mientras creían emitir imágenes incorpóreas, insustanciales, que mediatizan la experiencia, que la vuelven fantasmática, los censores castrenses equiparaban la oposición por la palabra con la oposición armada. Los opresores consideran igualmente peligrosa la mano que empuña la pluma como la que gatilla el fusil. Para ellos queda abolida toda distancia entre el signo y la cosa significada. Decir y hacer se vuelven una misma cosa. El decir imputable de atentar contra la razón, la salud o la seguridad del Estado resulta tan delictuoso como cualquier otro quehacer insumiso. Toda palabra, por metafórica que sea, que contravenga el monopolio del discurso impuesto por el Estado dictatorial es considerada como subversiva. Toda palabra que toque literal o figuradamente la zona prohibida es castigada como acto de desacato pasible de las máximas penas. Rescatar la información oculta o suprimida, descongelar el bloque de la ideología totalitaria, restituir al pensamiento su proteica pluralidad y al lenguaje su poder de transformación constituyen transgresiones intolerables para la censura que impone el régimen del discurso único. Para estos inquisidores la palabra recupera, aunque negativamente, la maléfica, la pecaminosa capacidad de conmoción y de movilización atribuida antaño por los teócratas a la voz de los heresiarcas.

Nuestra literatura es uno de los pulmones que oxigenan el cuerpo y la mente de nuestra sociedad. Nuestra literatura es esa suma en fervorosa ebullición, esa dinámica amalgama, a la vez levadura y pólvora, donde distintas instancias estéticas e ideológicas profieren sus plurivocos mensajes, nuestra literatura es esa multiplicidad en dialéctica, en dialógica interacción. Nuestra literatura es a la vez Borges y Cortázar. Funciona si ambos pueden coexistir, si ambos son puestos en juego. Si ahora pretenden amputarnos a Cortázar, nuestra literatura se desnutre, se inmoviliza, entra en un sopor letal de posiciones sin oposiciones, se enrarece, corta su cordón umbilical con el cuerpo que la alimenta, se aletarga porque le faltan las incitaciones, el intercambio por acción y reacción con la realidad estimulante. La contradicción motriz se resuelve, por razón de fuerza mayor, por razón de las fuerzas armadas, en el unicato, en la monodia monosémica de la versión oficial. Las múltiples opciones operativas de una literatura en libre curso se reducen a refrendar la palabra de los mandatarios o a fugarse hacia la evocación inofensiva, hacia la fantasía atópica y acrónica. Mutilada en sus órganos vitales, dispersados sus hacedores, devastadas las instituciones que la prohijan y difunden, la cultura argentina está condenada a volverse páramo estéril. Acosada por los cazadores, patrullada por los guardianes del orden, entra en la inanición, está condenada a la resta o al arresto.

La ficción somática

Tanto *Cien años de soledad* como *El otoño del Patriarca* son metáforas noveladas del hundimiento y de la regresión a la intimidad visceral, al vientre de la tierra donde el sentido cesa y la letra se borra, tragados por las mezclas del fondo entrañable, por la imperiosa profundidad del cuerpo. Entre la crónica de la proliferación y la extinción de la estirpe de los Buendía, y el ensimismamiento senil de un déspota iletrado se entabla una progresión negativa de paulatina involución. Ambas ficciones dicen de la imposibilidad de establecer sobre la superficie de una naturaleza feroz y feraz un asentamiento persistente, una autonomía organizada capaz de encauzar los flujos y ordenar los intercambios. Ambos figuran la imposibilidad de imponer sobre esa simultaneidad desordenada e indómita la diferenciación, la distancia básica para implantar los códigos reguladores de un universo de sentido. Ambos simbolizan la imposibilidad mental y empírica de tramar los encadenamientos causales y las conexiones ilativas, las asignaciones y designaciones que permitan un conocimiento y una instrumentación racionales de la realidad, la imposibilidad de separar los signos, los acontecimientos y los cuerpos.

En *Cien años de soledad*, a través de la vida y los milagros de una frondosa familia se condensa en el ciclo de un siglo la historia factual y la quimérica, la crónica y la fábula de América. Esta progenie portentosa de tierra caliente revive en su transcurso el descubrimiento, la colonización, el ingreso a un vago contexto nacional, la guerra intestina, la incorporación al circuito del comercio mundial, la exacción metropolitana, la ruina, el abandono y la recaída al sin sentido informe y sin fondo, al terrible desorden primario. Toda construcción protectora, toda marca delimitadora, toda distinción material y simbólica es devuelta al catastrófico mundo de la selva, a la ingestión salvaje, es reintegrada a las generaciones y devastaciones del caos natural, al inconsciente fragor metamórfico, a la proteica entropía original. El sentido incorpóreo es devorado e ingurgitado por el avasallador sin sentido corpóreo que lo sustenta y amenaza. La cápsula Macondo, tregua en el pandemonio, bolilla en precario equilibrio entre despeñaderos, ínsula en medio del revoltijo turbio y turbulento, se implanta en la mañana del génesis al borde del barro primordial, del pantano anterior a las constituciones («Al sur estaban los pantanos, cubiertos de una eterna nata vegetal, y el vasto universo de la ciénaga grande, que según testimonio de los gitanos, carecía de límites» [17]).[1] Esa pasta primigenia se confunde con el mar biótico que conserva intacta la suma de las virtualidades, con el agua bio y onirogenésica que mezcla formas y confunde categorías, que procrea monstruos sin sentido y quimeras insensatas («La ciénaga grande se confundía al occidente con una extensión acuática sin horizontes, donde había cetáceos de piel delicada con cabeza y torso de mujer, que perdían a los navegantes con el hechizo de sus tetas descomunales» [17]). Al norte está el monte fangoso e impenetrable que apesadumbra y entenebrece, donde la vegetación se espesa y enmaraña hasta cubrir por completo el cielo. Allí, el hombre, ensimismándose, desciende al gran estómago cósmico, al onirismo fetal, fecal, a la latencia placentaria, a la uterina, uretral interioridad de la tierra: («Los hombres de la expedición se sintieron abrumados por sus recuerdos más antiguos en aquel paraíso de humedad y silencio, anterior al pecado original, donde las botas se hundían en pozos de aceite humeantes y los machetes destrozaban lirios sangrientos y salamandras doradas» [17].) En las vísceras viscosas de la tierra, los hombres son aletargados y reblandecidos por ese medio emoliente, plasmático, que descompone los cuerpos para poder absorberlos. Deglutidos y digeridos por la acción disolvente de los líquidos orgánicos, remontan el río de la linfa hacia su naciente. En esa caverna membranosa y enlodada, limo equivale a quimo.

1. Los números entre paréntesis son indicaciones de página de Gabriel García Márquez, *Cien años de soledad*, Buenos Aires, Sudamericana, 1967.

Macondo no consigue entrar en la historia. Relegado a la mentalidad mítica y a las formas primitivas de sociabilidad, no alcanza a ingresar al orbe de la racionalidad jurídica, científica y tecnológica. Los Buendía fracasan en su intento de consumar la instalación definitiva, de colonizar una superficie a partir de la cual se produzca el sentido, de despejar un claro de tierra firme donde se puede desarrollar un habitat organizado, se pueda instaurar una directriz en ascenso, se puedan incorporar a la comunidad los adelantos, se pueda empalmar con la historia determinante, la historia con perspectivas de progreso. la de los pueblos comensales del gran banquete de la civilización. Macondo tiene un enganche fugaz y tributario con la historia central; esquilmado por la potencia mercantil, vuelve a ser sojuzgado por la potestad avasalladora de una naturaleza que lo devorará, que lo borrará del mapa, que borrará las trazas del dominio humano, que destrozará su trazado hasta hacer desaparecer toda marca, toda mensura, toda fábrica, toda separación.

Macondo, presa de la desproporción y el despropósito, no puede ascender al mundo de arriba reglado por la distribución que las ideas imponen a las cosas, no pueden acceder a la esfera del logos nomenclador, numerador y programático. Macondo no alcanza ni a gramaticalizar ni a historificar su realidad, ni a estatuir una sintaxis capaz de articular el acecer multívoco y disperso ni a ensamblar una cronología genética capaz de eslabonarlo causalmente. Los Buendía no llegan a ordenar ni la microhistoria de la familia, cuyo árbol genealógico se intrinca por exceso de proliferación incestuosa y se confunde por la indistinción que acarrea la homonimia. Tampoco llegan a inscribirse en la historia oficial que los expulsa de sus anales, que relega al silencio tanto la gesta del Coronel Aureliano como la huelga y la matanza de la Bananera.

Macondo es descendido a la inmemorial profundidad de las profusas y confusas mezclas entrañables, a la fluidez y a la mutabilidad sustanciales, a la región del infrasentido donde caduca la letra y la palabra se vuelve borborigmo, borbollón. Consumado el incesto del último Aureliano con Amaranta Úrsula, que reencarna la confusión que precede a los códigos, la transgresión de los deslindes categoriales, el exceso de contigüidad, la anulación de las entidades e identidades estatuidas, el regreso a la promiscuidad presocial, se cumple la maldición del homoide con cola de cerdo, el retroceso zoológico por pérdida de la especificidad al revertirse la jerarquía de las especies. El nacimiento del monstruo será, como la incesante hemorragia de Amaranta Úrsula, presagio apocalíptico de la invasión por los emisarios del mundo de abajo, hormigas carniceras y maleza tentacular, que emergen para sepultar el orden precario levantado contra el fragor del fondo sin rostro, contra la turbulencia de lo subterráneo indivisible. Toda fabricación del ingenio humano será así devuelta al revoltijo viscoso, negro y fétido de la bullente intimidad caótica.

Así como termina *Cien años de soledad* así comienza *El otoño del Patriarca* con las plagas destructoras, con la devoración, la hediondez, la corrupción que destrozan, desintegran, descomponen la casa presidencial convertida en un gran estómago que todo lo ingurgita, lo ataca, lo reduce y lo absorbe hasta excretar el cadáver fecal del déspota. Los rapaces rompen las mallas de alambre y penetran en la guarida del poder humano; la carcoma corroe sus muros; los pavimentos son levantados por la maleza tentacular; los hongos multicolores y los pálidos lirios enmohecen y pulverizan los memoriales, devuelven la letra al revolvimiento anterior al perfil y a la nómina; las vacas omnívoras trituran y rumian cuanto encuentran a su alcance abarrotando el palacio de boñigas humeantes; las plantas domésticas, libradas a su energía proliferante urden un matorral inextricable, irrespirable; los olores florales se mezclan con la pestilencia de un inmenso basural de sobras podridas, aguas residuales y carroñas. Es el abarrotamiento intestinal, la saturación cloacal, excrementicia. El palacio se vuelve activo teatro de la mutabilidad natural, caldo biótico, larvario, pululante gusanera. El palacio es reintegrado a la gran mescolanza de la oralidad y la analidad delirantes, en perpetua subversión.

La muerte del todopoderoso por decrepitud, por reblandecimiento, por lenta corrupción indican la final hegemonía del morbo, de la morbidez, de lo infecto, el triunfo de la disolución, el regreso al lodo craso y graso, al agua negra, glutinosa y fétida. Así se confirmarán los terrores primarios infundidos por esa física primordial que rige inexorablemente el transcurso de una emergencia humana que no consigue consolidar su mundo por encima del río entrópico, del mar de fondo, del marasmo de las mezclas azarosas, de la jauría de las morfologías caóticas. Es el descendimiento al vientre incubador por los meandros del río digestivo. Más que enroscamiento fetal, es involución fecal que hará efectivo el presagio del diluvio cenagoso: «...hasta los menos cándidos esperábamos sin confesarlo el cumplimiento de predicciones antiguas, como que el día de su muerte el lodo de los cenagales había de regresar por sus afluentes hasta las cabeceras, que había de llover sangre, que las gallinas pondrían huevos pentagonales, y que el silencio y las tinieblas se volverían a establecer en el universo porque aquél había de ser el término de la creación» (129).[2]

Mientras que *Cien años de soledad* está relatada por un narrador memorialista que atestigua sobre un acaecer que no lo implica, mientras que en *Cien años de soledad* la fábula se desmide más por amplificación que por ramificación, en *El otoño del Patriarca* priman la personalización, el intrincamiento y la introyección. Toda la frondosidad, la interpenetración, la multiplicación de narradores agonistas, la abigarrada y florida continuidad de monólogos entramados, todo tiende a involucrar en una misma espesura, en una misma correncia caudalosa, en una misma infusión e infición, en una misma espiral descendente que se remansa o arremolina (vals o tromba), todas las instancias de la novela, tanto el discurso como el transcurso, tanto la historia como la expresión, tanto los actores como el teatro. Todo tiende a abolir el corte separador entre sujeto y objeto, entre interiorización y exteriorización, entre los signos y las cosas significadas. Todo tiende a borrar la frontera entre sentido y sin sentido, a impedir que los signos evacuen las sustancias para poder articular las series gramaticales y estructurar las logomaquias. Todo se espesa y encarna, el espacio no consigue desmaterializarse, vaciarse de obstáculos macizos para que la razón geométrica tienda sus rectas, concentre círculos perfectos y conciba catastros en damero o arquitecturas poliédricas. Todo tiende a impedir las concertaciones de arriba, todo tiende a subvertir la organización de superficie, devorada por el imperio de las acciones y pasiones de la entraña prepotente, por las

2. Indicación del número de página de Gabriel García Márquez, *El otoño del Patriarca*, Barcelona, Plaza y Janés, 1975.

encarnizadas pujanzas primarias, por el terror intrauterino, por la fecalidad fundamental.

Los diques para contener la invasión y el subyugamiento del mundo humano por el natural resultan débiles; no alcanzan a impedir la irrupción y la circulación de cúmulos incontrolables. No hay solución de continuidad entre selva, ciénaga, país, ciudad, palacio. El palacio, con su tropel de servidores que cargan y descargan montañas de alimentos en los corredores encharcados por las aguas servidas, por las aguas mayores, aguas gruesas; el palacio con su enjambre de concubinas promiscuas, bulliciosas, con la manada de sietemesinos que defecan y orinan por doquier, con el batifondo de la soldadesca, con la profusión de paralíticos, ciegos y leprosos, con el agolpamiento de los pedigüeños, con los desperdicios y depredaciones de vacas y gallinas, con el embrollo sexual de todos los acoplamientos posibles, con la arrebatiña de los perros callejeros; esta casa del poder, palacio establo, palacio pajarera, palacio chiquero, palacio lupanar, zoológico, prolonga sin distingo categorial la ciudad soporífera y fragorosa. La ciudad es un inmenso animal unánime de entraña fogosa, con sus olores y sus exudaciones, que alterna entre el máximo hervor vital y la pesadumbre más letárgica. La ciudad rancia y lujuriosa prolonga la patria, montuna y cenagosa: «esta patria que no escogí por mi voluntad sino que me la dieron hecha como usted la ha visto que es como ha sido desde siempre con este sentimiento de irrealidad, con este olor a mierda, con esta gente sin historia que no cree en nada más que en la vida, ésta es la patria que me impusieron sin preguntarme, padre, con cuarenta grados de calor y noventa y ocho de humedad en la sombra...» (159). La ciudad prolonga la patria, el lodazal fermentador, la negra levadura de las desmesuradas gestaciones, donde la gente, absorbida por sus urgencias vitales, vive girando en el ciclo de las mutaciones naturales sin poder desencadenar y encausar una historia proyectiva y progresiva. La patria se confunde con la selva y con la ciénaga, con el mundo abisal, con la incierta vastedad nebulosa, con los páramos humeantes, sin letra, sin marca, sumidos en su perpetua edad de pesadilla en que las gardenias tienen uso de razón y las iguanas vuelan en las tinieblas (141). Mundo de pesadumbre y podredumbre, pesadumbre del cuerpo pastoso y amorfo (lentitud visceral), feraz y feroz podredumbre que desagrega toda consistencia, que hace que todo regrese a su origen, a la intimidad digestiva, al magma excrementicio, al torrente uretral o menstrual, al caldo biogenésico. Internarse en esa geografía sin historia, internarse en las morfologías y las topologías salvajes implica volver a la edad inmemorial de las plantas carnívoras y los saurios voladores, implica retroceso genético.

Los hombres del légamo caliente no pueden detener el empantanamiento. Por fin el aluvión de cieno se traga las ciudades, la nube miasmática reblandece y corrompe toda fábrica humana. El fango corporal introvierte todo sentido hacia el revoltijo de adentro, hacia el negro albur de las mezclas sustanciales.

Esta potestad de lo primario impone una conducta atrasada, la involución genética, la vuelta al vientre sexual y digestivo, al huevo germinal; provoca un retroceso zoológico, del animal de superficie luminosa al tenebroso de la profundidad terrestre y marina, del vertebrado erecto y prensil al albuminóideo anélido. El macho carnicero, con los apetitos en vilo, concupiscente y acometedor pasa de lobo a lagarto, pasa de chacal a vampiro y de vampiro a lóbrego saurio de la ciénaga humeante. Le salen escamas córneas, crestas de iguana; la panza se le llena de alimañas; parásitos del fondo marino proliferan en su cuerpo; en las axilas le aparecen pólipos y crustáceos. Ensopado por la incontinencia senil, enfangado por sus secreciones y excreciones, sumido en vapores nauseabundos, se hunde en el cenagal de su decrepitud.

Para los hombres del légamo caliente, todo es corpóreo y todo proceder es corporal, todo es pasión, acción o estado de los cuerpos. La pujanza del pneuma desaloja la regulación del logos. Enclavados en el mundo de la ferocidad y la feracidad máximas, en la fuente misma de la energía multiforme en el ápice de su dinamismo, todo es instinto, apetito, pulsión; toda conducta es somática y fundamentalmente genitodigestiva; todo es consumo, destrucción, ingestión o expulsión; todo es, como en el barrio de las peleas de perro, alimento o excremento. Permanente carnicería de perros que se descuartizan a mordiscos sobre el barrizal, es el barrio de la voracidad desenfrenada donde los burros que se internan salen resumidos a osamenta pelada, donde los hijos de ricos son asados o reducidos a longaniza (cuerpo despedazado y sin órganos, materia residual), barrio de gente calenturienta, de parranda y pendencia perpetuas, estercolero y matadero que prolonga la plétora vociferante, el desastroso desvarío, el ruido del fondo insensato del universo anterior a la cuenta y la razón, antes de los numeradores y los nomencladores.

Para la gente sin historia que ama la vida en su manifestación elemental, el ser, el querer y el hacer se asimilan a la animalidad. El poder, sábalo fugitivo que nada sin dios ni ley, huele a caballo quemado, así como la guerra tiene olor a sarna de perro. La oposición, esa parásita tentacular, es reprimida con la saña más sanguinaria: los prisioneros son despellejados, degollados, descuartizados, tirados a los caimanes. El imperativo categórico es comer o ser comido. La primera fijación infantil del déspota es la de un despojo alimenticio arrancado a los rapaces: «...se acordó de una infancia remota que por primera vez era su propia imagen tiritando en el hielo del páramo y la imagen de su madre Bendición Alvarado que les arrebató a los buitres del muladar una tripa de carnero para el almuerzo...» (266). El delirio zoófago culmina con la antropofagia: el Patriarca obliga a los miembros de su guardia a que se coman al general Rodrigo de Aguilar, cabecilla de una conspiración, y a su vez sueña con hombres de levita oscura que lo punzan con cuchillos de carnicero y lo cuartean. Del mismo modo que el Patriarca manda reducir a tasajo a golpes de machete al marido de Francisca Linero para abusar de ella, los perros cimarrones despedazan a Leticia Nazareno y a su hijo Emanuel y se los engullen vivos pedazo por pedazo. Descuartizamiento y nacimiento son concomitantes; la mujer se descuartiza para poder parir: «...se descuartizó en el charco humeante de sus propias aguas y se sacó de los enredos de muselina el engendro sietemesino que tenía el mismo tamaño y el mismo aire de desamparo de animal sin hervir de un ternero de vientre...» (180). La posesión sexual se hace casi siempre por asalto, es como herrar novillas que se retuercen y hechan humo por los cuadriles, o como tumbar la presa de un zarpazo y arrojarse sobre ella. El hombre aparece en el coito como animal cerril que embiste contra todo y todo lo demuele, pero a la vez el orgasmo se figura como desgarradora muerte por degüello: «desgarramiento de muerte del tentáculo tierno que le arrancó de cuajo las entrañas y lo convirtió en un animal degollado cuyos tumbos agónicos salpicaban las sábanas nevadas con una materia ardiente y agria» (168). Lo alimenticio, lo genital y lo excrementicio se coaligan en una intervalencia que los vuelve convergentes, equiparables, reversibles. La mejor ilustración de esta mutabilidad imaginaria la ofrece la secuencia de la violación de la mulata en el gallinero (114), donde el sudor y el semen se amalgaman con la mierda y la melaza amarilla de los huevos, confundidos en un légamo fecal y genésico que empareja la producción del vientre digestivo con la del vientre sexual, o sea todo lo que sale por abajo del cuerpo. Esta identificación aparece patente en el episodio de los amores del viejo con la adolescente, sobre el heno del establo perfumado por rancios orines; el Patriarca moja sus alimentos en la salsa pubiana de la niña, antes de comérselos; el trato sexual se homologa por completo con la ingestión y la absorción recíprocas, por la mezcla de los humores íntimos en la serpiente del cuerpo, en el tubo digestivo, eje descendente de la libido antes de la fijación, teatro del principio de placer, por donde se ingresa a la interioridad tenebrosa y sangrienta del cuerpo: «...me esperaba sentado en el heno con una bolsa de cosas de comer, enjugaba con pan mis primeras salsas de adolescente, me metía las cosas por allá antes de comérselas, me las daba a comer, me metía los cabos de espárragos para comérselos marinados con la salmuera de mis humores íntimos, soñaba con comerse mis riñones hervidos en sus propios caldos amoniacales, con la sal de tus axilas, soñaba con tu orín tibio, me destazaba de pies a cabeza, me sazonaba con sal de piedra, pimienta picante y hojas de laurel y me dejaba hervir a fuego lento en las malvas incandescentes de los atardeceres efímeros de nuestros amores sin porvenir, me comía de pies a cabeza con unas ansias y una generosidad de viejo que nunca más volví a encontrar...» (222-223). Lo que el vientre expulsa por el ano retorna al cuerpo por la boca, lo que el cuerpo produce el cuerpo lo devora en una circularidad que es remedo microcósmico de la génesis alimenticia del macrocosmos.

El Patriarca copula con sus concubinas y las insemina en el estercolero. El retrete aparece en el texto con inusitada frecuencia como reducto ventral, no sólo de la excreción sino también del coito. *El otoño del Patriarca* es todo entero un andurrial anegadizo plagado de imaginería excrementosa. Es una novela fecal. La corrupción del régimen despótico y la de su autócrata omnímodo y omnívoro se materializa, se carnaliza como putrefacción corporal, como hediondez excrementicia. El Patriarca es engendrado y nutrido en medio de la putrefacción y la fetidez; la placenta es arrojada a los chanchos; madre e hijo mueren fermentados por la descomposición pestilente. La patria huele a mierda y la ciudad se ahoga en un mar de materias fecales, tanto que «el día que la mierda tenga algún valor los pobres nacerán sin culo» (171). Y la canción unánime de las multitudes fugitivas dice: «ahí viene el general de mis amores echando caca por la boca y echando leyes por la popa» (181). El régimen de terror impuesto por el tirano humoral y sanguíneo significa el regreso a la barbarie natural, a la barbarie oral/anal que se expresa no por palabras sino por consumos, destrucciones y excreciones, al sujeto carnal de la fauce dentada y el vientre insaciable y borrascoso, a la caja negra del cuerpo, a los borboritos y borborigmos de la profundidad somática anterior al verbo y a la letra.

Esa glotonería poliglota de LARVA

Larva, la novela en obra de Julián Ríos, no vela la lengua: la desvela. Absuelta de la función de sumiso soporte de los significados, Ríos le devuelve esa potestad que transfigura al texto en un festín de los significantes. En *Larva* el trabajo de transformación literaria, aquel que infunde a un discurso la condición de obra de arte verbal, se ejerce ante todo sobre la escritura para poner de manifiesto sus potencialidades específicas. La palabra comúnmente relegada se venga aquí del ocultamiento de su materialidad, de la represión de su carga pulsional que puja por liberar las intensidades entrañables, de la reducción semántica que la obliga a sujetarse al unívoco sentido recto, del desperdicio de su pujanza reactiva, del sacrificio de sus virtualidades.

Lingüísticamente, Ríos es un excéntrico o mejor dicho un multicéntrico que perturba empedernidamente la preceptiva estatuida, que con una sibilina pericia contraviene los hábitos morfológicos y sobre todo los léxicos para provocar una subversión humorística. Su humor es arte de la doblez, del permanente desdoblamiento que restituye al sentido su reversibilidad. *Larva* invita (u obliga) al lector al desplazamiento continuo; su máxima movilidad, que es máxima labilidad, lo desaloja de los asentamientos de la lectura habitual para sumirlo en el vértigo lenguaraz.

Larva se declara novela; por lo tanto Ríos tiene que acogerse a ciertas normas del género. Historia una ficción con personajes cuyo anecdotario se sitúa en un tiempo y un espacio «reales»: Londres por los años setenta. Pero ya el nombre de los protagonistas, Babelle y Milalias, nos está indicando la mescolanza de lenguas y la mudanza de identidad. Sugiere que el principio de composición se basa en el trastocamiento, en los altibajos y en el mejunje. Si bien la descodificación nunca puede ser total para que el mensaje (portado aquí por la transformación constante del medio, de modo que no queda casi vocablo sin la marca interventora del destinador) no se evada del todo de la comunicación socializada, *Larva* extrema la desautomatización. El lector es mantenido en el vivo vilo de una lengua viradora (*letrastocándose letrasmutantes*) que no amaina su multívoca vorágine.

Julián Ríos: a la vez acróbata, volatinero, malabarista, contorsionista y prestidigitador del gran circo «enervalarvador». *Larva*: Luna Park de la lengua, «Un bricabraquelarre delirante» que lejos de mantener a raya a las «palabravuconas» les deja imponer su prepotente preponderancia.

El agente promotor de esta «obracodabra» es la promiscuidad, la cohabitación copulativa de vocablos provenientes de todas las áreas y todos los niveles del castellano, en cruce y cruza con las otras lenguas que lo injertan e inficionan en una (con)fusión babélica. Ríos viola al «castollano» y lo desflora; lo saca de quicio, lo descompagina para que recupere su plasticidad, su capacidad osmótica, lo devuelve al estado poroso de *Lingua franca*, seminal/inseminada por todas las otras parlas en contagioso contacto, en acomplamientos recíprocamente fecundadores.

Pienso, por esta tan obstinada transmutación lingüística, que la poeticidad supera en *Larva* a la narratividad. Por la vastedad de su registro y por su capacidad paródica, *Larva* evidencia esa función propia del poema, la de operar como memoria de la lengua, la de guardar en uso la integridad del decir, del más remoto al más reciente. *Larva*: memorando y vademécum lingüístico. Memorial también de la literatura, porque es tal la diseminación e inseminación de indicios, referencias, alusiones, bromas, guiños literarios de tan diversa procedencia que Ríos agrega a cada capítulo un índice de los nombres de algún modo inscriptos en el crucigrama.

Es en plano del soporte donde Ríos interviene decidida y decisivamente para instrumentar la transformación más radical. Explora y explota todas las posibilidades de expansión léxica. Recurre al neologismo (*claxonantes, bufónicamente, palimpsestear*) casi siempre concertado con otros recursos de composición (*mes-*

meretrizándome, orangutangoneando, zumbandoneando). El acrecentamiento se produce por préstamo a otras lenguas, por infestación francoangloitalolusitanogermánica. Tal poliglotismo engruesa el léxico no sólo mediante la adopción de términos extranjeros, también interviene en la confección de compuestos panlingüísticos con o sin base castellana (*Führer charlottatore, blablack, imbricabraquemartelados, lovelacerados, delendacortagonizados, la dracu: lita lite rattura*). Las lenguas se mixturan imbricándose para proferir un «rabelicoso argot». Otra transformación enriquecedora inyecta semas suplementarios por alteración ortográfico-fonética (*trabyecto, rencordar, sucerdáneas, cieniza, pajarroco, Chamán chamando, impusibles, vienéreas, ecorruptor, poronomasias menstruosas, azarandeo, sin sañas de idantedad, econcentrarse, proustituir, trotagonista, Thule-Tole, finfernal, supersórnica, sentardo, hambre cainina, espectráculo, estará que brahma, blabluciones y baalbuceos rituales*) por reduplicación o por inserciones ingeniosas (*fluuyendo, tambaleteante, españolé, argote gorgongorino, pornomenorizadamante, voluluptuosas, puriputano, revolcancándonos, sí en seguidilla*).

Las palabras-valija promueven como ningún otro recurso una efervescente concentración léxica que redunda en adensamiento sémico. Evocan el enristre de vocablos de *Finnegans Wake*, modelo obligado de este tipo de acoplamiento. Actúan por yuxtaposición de términos, donde los finales de unos constituyen el comienzo de otros. Abarrotan así el vocabulario con una barrumbada barroca que lleva el humor lingüístico a su esperpéntico apogeo: *Equivocosicosacosándonos tan cucupolativamente; euroborosmosiseando boca a boca; en aquel mitramaiaecosquitecleo totableante de milunanoches.*

Las palabras consuman sus propios intercambios y amalgamas; borran sus habituales demarcaciones morfológicas para plasmar nuevos agrupamientos suscitados por una verba jocunda que se complace en dar libre curso a los estímulos, atracciones, tropismos que la lengua misma provoca. Lengua plástica: proteico protoplasma: lengua infusoria: abigarrado y pululante larvario. Emoliente, albuminoidea, conjuntiva, la lengua reconquista gozosamente su metamórfico albedrío.

Derroche palabrero, parlero despilfarro: *Larva* está impulsada por una exuberancia festiva que se deleita en la proliferación; está compelida y activada por un eros dinámico y ubicuo que busca saciar su voracidad verbal (bucal). Ríos libra su libido; la lengua, zona erógena, puja por retornar a la base corporal de la fonación. El corpus textual responde al reclamo del cuerpo carnal, las palabras se acoplan por ayuntamiento sonoro, se amalgaman maridadas por el placer oral y glótico que desea satisfacer su impulso aliterante:

> Remormullo múrmur mormorío calando! Cantilena nela lena vai! tot timpul sola toditoda la noche a tuas costas, la noche entera a tu costado para ver de remozarte ya. Canté, alma de cantaro cantarinero! Remurmulher sin remisión y tú en remotos letargoces o idos sordomudeos. Erre que requie roque, —quién? Reque-reque, quién?, remuévete ya rehinca remolón, requiebra requebro em celo. Pega la hebra, —y la trama trema, amador, ecosecos eccola en tantricocoteries! Cocoreando con descoco en tiempos el galopín goggolanteador confaloniero, —hetairarea de nuevo tus taras, haz tus números y hecha la cuenta!

La coalición coral concita otras secuencias que las frásticas, constituye su propio circuito de significancia: un transcurso melódico pleno de lexemas virtuales, henchido de latencias sémicas.

La homofonía fusora de *Larva* aglutina en candente cadencia las lenguas. Frenesí afrodisíaco: los signos verbales expresan por todos sus conductos el regodeo, la regocijada descarga semaseminal. Escritura y fábula dicen mancomunadas que Larva es una (con)fabulación erótica.

José Lezama Lima: la risueña oscuridad o los emblemas emigrantes

Lo sabía cómo titular este buceo mío en las aguas discursivas de *Dador*, cómo llamar mi entrada en el revuelo de sus hojas (que no quiero quede en mero paseo por un jardín gramatical). Sala de baile, escaparate mágico, ópera fabulosa, *Dador* es el poema más extenso de José Lezama Lima; allí se explaya esa sobreabundancia donde lo incondicionado puede encontrar la imagen del mayor posible conocido, esa totalidad desatinada donde todo se vuelve materia comparable; allí intenta Lezama Lima, a través de la expansión, el henchimiento, la hipérbole, hacer germinar el *potens*, la semilla de las infinitas posibilidades; intenta restituirnos por saturación al reino del relacionable genésico, al torbellino metafórico con sus inapresables ejes traslaticios. *Dador* dilata la imagen hasta el último confín, hasta la linde donde lo imposible, lo no adivinado, lo que no habla se rindan al *posibiliter* poético. Paradojalmente, puede conjeturarse, en relación con esta poética del exceso revelador de la sobrenaturaleza, que la mayor longitud, la de *Dador*, es capaz de propiciar el más alto tenor de poeticidad.

Mi incursión, más lúcida que lucida, en esa selva donde lo máximo se entiende incomprensiblemente, en esa laberíntica telaraña para atrapar esencias, me tentó llamarla «Diálogo del almirante náufrago con la gallina que tiene un ojo de vidrio». Cómo operar este traslado mío a términos razonables, cómo explicar una entreoída entrevisión de intramundo que desecha todo encadenamiento causal para buscar la visitación por gradual impregnación, por germinación, la iluminación por errancia ensoñadora, por arborescencia, por azar concurrente, por libérrima ilimitud. Cómo asentar esta rebusca interpretativa en medio de esa gula icónica, de esa indigesta voracidad metamorfósica, de ese remolino medusario que es *Dador*.

Mi examen cae bajo la seducción del texto y no puedo designarlo sino parodiando a Lezama Lima: «murga de níquel voluptuoso», «tatuaje boquilindo balbuceando», «verboso absoluto esferoidal». Parodiar: disfrazarse de Lezama Lima, aprehender por identificación, por trueque de identidad entre buscador y buscado, reencarnarlo a través de su palabra transferida, transporte de su voz a la mía: traducción.

La primera pregunta a formular: ¿qué dice *Dador*? (Dador de qué; dador de prodigios; dador es uno de los nombres con que se designa el Espíritu Santo,[1] dador de las ocho felicidades que Cristo propuso a sus discípulos, dador de la naturaleza verdadera, de la sobrenaturaleza a través de una total abertura, de una desmesura sobrenatural, dador del acceso a la plenitud de la imagen en el mundo de la resurrección, mundo resurrecto por una incondicionada poesía.)

Dador comienza por una fantasía coreográfica en prosa; monta sobre un espacio descripto como escénico una dramaturgia alegórica. Tres tríos de adolescentes con máscaras doradas, cuatro figuras con armadura y dos cariátides bailan una danza diseñada en espirales y semicírculos (espiral: línea que se enrula, espiral plana: laberinto, espiral helicoidal: caracol, glipto universal de la temporalidad, ascendente: evolución, descendente: involución; semicírculo: incompletud, alterabilidad, alfa sin omega, indeterminación del arco). Los adolescentes están en la plenitud de su gracia, danzan como jugando, con algazara; la virilidad guerrera es pesada (temple de hierro, consistencia coriácea); los acorazados se suman a la danza de los enmascarados (máscara teatral o carnavalesca, oculta la faz, cambia la identidad, media entre fuerzas opuestas); éstos son diestros, aquéllos, grávidos o ridículos. Las dos cariátides iluminan desde el fondo el escenario, una con luz fija, la otra con destellos intermitentes; vienen de lo sombrío, representan potencias nefastas, son mensajeras del mundo de abajo.

Dador empieza por un ballet y termina en un danzón; un bandoneón hechicero toca un danzón en el

1. V. Fina García Marruz, «*Por Dador de José Lezama Lima*» en *Recopilación de textos sobre José Lezama Lima*, Serie Valoración Múltiple, La Habana, Casa de las Américas, 1970, p. 108. Sutil y sensible, ésta es una de las raras exégesis de *Dador*.

salón Alaska, lanza su reto gimiente, hace aullar a la contadora, lo bailan el niño y el perro del billetero. *Dador* termina en una evocación criolla, en una reminiscencia localizada, en un descendimiento de lo utópico a lo lugareño, a lo anecdótico.[2] El perro parece cancerbero y el salón, antesala del infierno:

(...) El infierno es eso:
los guantes, los epigramas, las espinas milenarias,
los bulbos de un oleaje que se retira,
las dos máquinas que se seguían, el Orfeo de Pergolessi,
los mozos recogiendo las migas ingeniosas en su fuga,
la puerta que se cierra como un *tutti* orquestal en el vacío,
mientras el japonés en *smoking* se inclina,
para recoger el clavel *frappé,* en el bostezo
de la cuarta dinastía de sus sandalias charoladas (253).[3]

2. Durante el coloquio sobre José Lezama Lima, organizado por el Centro de Investigaciones Latinoamericanas de la Universidad de Poitiers, del 19 al 22 de mayo de 1982, Fina García Marruz reveló haber asistido al episodio generador de *Dador*. Es interesante consignarlo. En una tarde habanera en que los amigos de Orígenes salían de la Librería Ocar, sitio habitual de sus encuentros, y que habían paladeado, como solían, los pasteles de guayaba comprados en la calle Obispo, cayó de pronto una lluvia torrencial. El grupo, con Lezama Lima a la cabeza, se refugió en el café más próximo, el Salón Alaska, anunciado por un cartel rojo («un escalofrío escarlata»). En ese antro poco frecuentado por ellos, una victrola («murga de níquel voluptuoso») difundía el boogie lento. De pronto, alguien ejecutó un danzón en su acordeón, instrumento raramente empleado en este tipo de música. Hubo un niño que recorría las mesas vendiendo algo y en torno de Lezama Lima se creó un círculo hechizado, con esa lluvia afuera, el lugar extraño y la inesperada danza. Por un lado, este espacio epifánico; por el otro, el salón con su clientela habitual: círculo infernal. Un perro, merodeando entre uno y otro ámbito, hizo de mediador. El acontecimiento que motiva el largo poema será transfigurado, sin que las trasposiciones metafóricas oculten del todo lo referente a la experiencia vivida. Este suceso suscitador se situará al final del poema; lo puntualiza y lo rebaja a lo eventual, a lo ajeno a toda gracia.

3. Los números entre paréntesis son indicaciones de página de José Lezama Lima, *Poesía completa,* Barcelona, Barral Editores, 1975.

Y entre prefacio y epílogo, la espiral tiene nueve vueltas, nueve círculos, un proemio en prosa y once secuencias versales. Traslado inmediato, plenario al reino de la ficción fantástica: retablo de las maravillas, alfombra mágica, transporta por completo a un ámbito milagroso; la visión es legendaria, suspensiva; el ritmo, procesional, de una ritualidad enigmática (mitomaquia, oñirogénesis, estrafalario birlibirloque). Los versos, dilatados, difusos, tienen, como el poema, la menor forma posible (Lezama Lima no contiene, desborda; no mide, desmide).

El primer círculo es una consagración, remite a las aguas genésicas, bautismales. El esturión abre el desfile; a lo largo de *Dador* se liga con la androginia, con la completud primigenia, con el ancestro bisexual. Figuras sacerdotales, ceremonias domésticas, dinastías dormidas (alusiones a la era imaginaria de lo tanático egipcio), la escritura de los sueños, el sortilegio del ojo salado del buey se asocian con el cultivo del mijo y el cómputo por seis:

Los extensos lentiscos de la mano izquierda avizoran
el mijo que golpea en tamborcillos de seis timbres
y las repeticiones de las seis voces rodeando el círculo
húmedo donde la vaca conversa con la espalda del obispo
[(227).

Todo ello (el disimulo de los cisnes, el cordón umbilical que vuelve sobre la torre de Damasco y que preludia a las lisonjeras danaides en cuclillas), todo ello (la transgresión y la hibridez) pertenece a las rotaciones del seis. Como reúne dos complejos ternarios, el seis es simbólicamente principio de toda clase de ambivalencias: pone a prueba. Número de los dones recíprocos y de los antagonismos, corresponde al destino místico. El mundo fue creado en seis días, el *Hexámeron* bíblico es el mediador entre el Principio y su manifestación. El hexagrama hecho de dos triángulos equiláteros superpuestos, llamado Sello de Salomón o estrella de David, sintetiza, por la interpenetración de dos ternarios, el equilibrio inestable entre fuerzas evolutivas e involutivas, símbolo de la hierogamia fundamental, representa la suma del pensamiento hermético. En Lezama Lima el seis se liga sobre todo con los sesentaicuatro hexagramas del *Yi King*, el *Libro de las mutaciones*, «donde está expuesto lo más esencial de la sabiduría china, uno de los más temerarios libros que existen, con sus conjuros para penetrar en la muerte, en las combinaciones del azar y en el contrapunto inconcluso del porvenir».[4]

La mano derecha estruja la centifolia (¿simboliza la centifolia en el reino vegetal lo que el ciempiés de la sexta secuencia, en el reino animal?) e impone el cómputo por cinco. El cinco para los pitagóricos es el número de unión, número nupcial: indica el centro armónico.[5] Los guerreros abandonan el desierto, la caballe-

4. V. «Las eras imaginarias: la biblioteca como dragón» en José Lezama Lima, *Introducción a los vasos órficos,* Barcelona, Barral Editores, 1971, pp. 221 y ss. Lo que tienta a Lezama Lima del *Yi King* es el poder alegórico o parabólico de los hexagramas donde la imagen alcanza su máxima mutabilidad, su mayor poder de correlación a través de la omniposibilidad de conjugar lo genésico celeste con lo genésico terrestre, el macro con el microcosmo. El *Yi King* torna representable, o sea legible, el principio errante que rige toda metamorfosis, ese tao que gobierna la infinita alternancia entre el yin y el yang, equiparable para Lezama Lima a la plenipotencia poética.

En *Paradiso* (México, Biblioteca Era, 1968, pp. 351-352) hay un contrapunto entre Fronesis y Cemí acerca de la simbología de los números pitagóricos que explicita las alusiones numerales de *Dador.* El tres refiere al triángulo equilátero, a la Trinidad cristiana, a la Trigenia y a la Trifolia griegas. El doble ternario, el seis, se vincula con el hexaedro, suma de seis triángulos equiláteros, con el hexagrama, con el sello de Salomón o seudohexágono estrellado, con la serie china del seis opuesta a la del cinco, con la teoría de los tubos musicales, seis machos y seis hembras. El cinco o pentada, suma del dos hembra más el tres macho, número esférico, se liga con el pentágono estrellado o pentagrama de los pitagóricos y con la pentalfa neoplatónica. El siete rige el diseño del zigurat babilónico y corresponde al número de metales, de planetas, de sonidos; también al Heptaplo cabalístico.

5. En *Introducción a los vasos órficos* se habla del tao que penetra en las cinco entrañas del cuerpo (*op. cit.,* p. 226) y de las cinco letras desconocidas que la poesía aporta, cinco signos indescifrables que designan ese errante análogo capaz de entablar correspondencias entre lo insignificante y la desmesura (p. 268).

ría entra en Damasco, en la ciudad que concilia lo estelar con lo telúrico,[6] y se dejan penetrar por la consonancia; toda distancia es amistada, abolida por la unanimidad; el jinete se liga con la estrella, siente la conformidad entre cabeza y brazo. La estrella anula el influjo del árbol de la conjugación del Eros, que divide el cuerpo en mitades dispares (¿árbol de la sabiduría, árbol de la vida, árbol del fruto prohibido, árbol ambivalente, a la vez falo y matriz?). La estrella, cuyo alcance sobrepasa el lenguaje, arrebata las caricias, las expande de poro a estrella («Las atracciones entre los seres y las cosas jamás se producen entre un poro y otro poro, sino entre los poros y las estrellas.»)[7]

(Puedo confrontar pasajes de *Dador* con sus correlativos de *Introducción a los vasos órficos*, el más doctrinal, el más especulativo de los textos de Lezama Lima, aquel donde si no explica su poética, la explaya; pero estas coincidencias no me sacan del círculo hermenéutico de Lezama Lima cuyas equivalencias simbólicas son otros símbolos, símbolos que remiten a símbolos en constante éxodo analógico, tránsfugas en deleitosa evasión metafórica. En este contexto quedo cautivo de su sistema de representación, irreductiblemente simbólico-alegórico.)

La cifra o el silogismo del segundo círculo (segunda secuencia versal) es el cuerpo. Aparece cadencioso, frío como la estrella, el tigre, en oscura marcha, mientras

6. La ciudad representa lo contrario de la dispersión, un principio que congrega, organizador de infinitos reencuentros, una recomposición espacial pero de raíz temporal que responde al ordenamiento de lo invisible. La ciudad es una imago, propone una figura embrionaria, remite a la lejanía, a una irradiación que viene hacia el hombre para fascinarlo (*Paradiso*, pp. 378 y 380). En *Introducción a los vasos órficos* las ciudades se relacionan, como arquetipos, con la sobrenaturaleza: «Ciudades a las que el hombre llega y no puede luego reconstruir. Ciudades edificadas con una lentitud milenaria y cortadas y destruidas desde la base en el instante de un parpadeo. Hechas y deshechas con el ritmo de la respiración. Unas veces deshechas por el descanso súbito de lo estelar y otras hechas con una momentánea columnata de lo telúrico» (p. 257).

7. *Recopilación de textos sobre Lezama Lima, op. cit.*, p. 25.

los cuernos del antílope llamean. (El bestiario de *Dador* es vasto y fabuloso; reúne el guerrero caracol de las esencias, el misional egipcio insecto, el antílope volador o *volatus discantus*, la elefantita paradisi, el áspid de ondulantes ceremoniales, simios descifradores, simios escanciadores, la cigüeña japonesa de escasos trazos, la serpiente sumergida, la ballena de nocturno horno, la grulla suspendida en el tercer círculo de la uña del escriba, la vaca marina de caricioso vaho, los perros daneses de las pesadillas. Son los agentes del errante análogo en expansivo movimiento, artificios naturales por los que la imagen en total arbitrio accede a la sobrenaturaleza. Se trata de una fauna emblemática que va del Espíritu Santo del faisán al indescifrable sueño de la gaviota; parece culminar en el falo luciérnaga, en el Príncipe Insecto que hunde su aguijón en los estambres de la Dama de los Helechos.)

La intención simbólico-alegórica proyecta todo este sorprendente cortejo a un más allá de su literalidad en continuo desplazamiento. Esa literalidad es desde el principio fantasmagórica, no permite asentamiento referencial, no permite desfigurar lo figurado, retrotraerlo a discurso propio: ¿cómo operar ante tanta admisibilidad?

La disyuntiva está entre el río que se espesa o la hoguera, entre fuego y jugos acuosos, entre aridez o henchimiento, entre cuerpo hidrófugo o hidrópico. Hay las lentísimas fugas del gozo, un cuerpo que despierta, la suspensión invisible, el cuerpo deslizándose por la derivación hasta entregarse al baile, la flotadura en la médula del tiempo, dos esencias, una que tiende a la suprema forma, la otra sin deseos de su forma. Suspensión, levitación, difusión (que son las claves visionarias y tonales de *Dador*), un contrapunto musical donde el cuerpo es el volatinero de su esencia (cuerpo ingrávido, aligerado por la gracia) y alcanza a ser poseído por la esencia sustancial. El cuerpo, punto volante que ya no hace sombra, y la esencia se trasfunden en forma esencial.

En el tercer círculo se cuenta una historia fantástica: la parábola del germen que recibe el lanzazo vertical del verbo. Reaparece el ancestro y se metamorfosea en acto. (El ancestro es el andrógino primordial, el Adán anterior al nacimiento de Eva que lo divide en dos sexos; se relaciona con el mito del huevo cosmogónico, con la androginia divina y la autogénesis; una de las versiones es Shiva-Kali, pareja que se confunde en un ser único.) El ancestro vuelve por el sueño (ensoñación no cristalizada, creación por lo oscuro) al protón y a las siete ruedas somníferas. (Simbología del siete: siete cielos, siete jerarquías angélicas, siete planetas, siete grados de perfección, siete ramas del árbol cósmico, siete colores del arco iris, siete sellos del Apocalipsis, siete grados de conciencia, siete intuiciones, siete etapas de la vía mística.)

Se presupone una hidrópica, monstruosa prolongación
de una sustancia que reclama al extenderse la penetración
como una hoja absorta para ser penetrada por los coloides
[de la brisa (231).

Hidropesía de Dador, hinchazón acuosa o líquida extensión que se difunde hasta ser impregnada por la imagen germinadora. Suspensión, prolongación, oscura penetración, incestuosa voracidad aluden a la hipóstasis o unión, por la palabra germinal, entre la naturaleza humana y el verbo divino. La poesía puede transformar lo inexistente en germen, en oscuridad germinativa, y el germen en acto, en causalidad de lo incondicionado, en *potens* poético o posible en la infinitud. Para Lezama Lima, el poema, capaz de aunar lo visceral con lo sideral, resulta de un secreto entrelazarse de germen, acto y potencia.

El cuarto círculo se sitúa en la casa de la sobreabundancia para fabular sobre el indescifrable sueño de la gaviota.[8] Sobreabundancia: impulsión, acrecentamiento, viento desatado sobre la extensión sin jinetes, soplo volador que sale por la corteza arbórea desbordando todo límite corporal. La casa de la sobreabundancia es la casa del desierto donde toda aparición puede mostrarse como milagro (apariciones fantasmáticas ex nihilo), como un hacerse visible para lo desconocido. Sobreabundancia: casa de la aprehensión análoga por el ojo único (ojo dilatado, ojo divino, ojo de la clarividencia suprema) de la imagen, que hipostasia lo inexistente en sustancia, en cuerpo irradiante.

En la quinta secuencia versal, la abigarrada dilata-

8. El sueño del hombre, como la gaviota: «(...) soporta la inmensa llanura de lo temporal que toca a su cuerpo y retrocede con la carga de aquel punto que sigue en su misma amenaza en la lejanía inmóvil» (*Paradiso, op. cit.*, p. 280).

ción metafórica, el flujo de alusiones concurrentes intentan, por propagación, ensanchamiento y paulatina saturación, transformar la causalidad sucesiva de la metáfora en la contrapuntística y conjuntiva de la imagen. El eros relacionable restituye el ciempiés metafórico a la urdimbre unificadora de la imagen que amplía las equivalencias a su máxima extensión.

El modelo de este crecimiento expansivo es el árbol; Lezama Lima concibe a la poesía como energía arborescente: «la energía en la extensión tiene que crear el árbol».[9] El apresamiento del objeto por obra de la imago se efectúa mediante asociaciones libérrimas que buscan en lo errante la revelación de extrañas semejanzas. Ningún libro acoge el reto de lo inapresable como el *Yi King,* ninguno como *El libro de las mutaciones*; a la vez talismán, conjuro, vaticinio, decálogo, ejerce la relación genésica entre lo embrionario celeste y lo embrionario terrestre, la conjugación en la lejanía de lo macro y lo microcósmico, la aprehensión de lo lejano penetrado en lo inmediato. El *Yi King* resulta así el paradigma de la función poética. Lezama Lima, fascinado por la relación entre azar y emblema, seducido por la plurivalencia de los ideogramas, vuelve a referirse en *Dador* —como lo había hecho en «Las eras imaginarias: la biblioteca como dragón»— al ideograma Ko:[10]

Las evaporaciones de la médula somnífera
le han revelado que un solo ideograma
significa *pelambre, pellejo, piel, despejar y desollar,*
que al lado de un bambú no se puede pintar una golondrina
[(236).

Engrudo mnemónico, médula somnífera, el poema, potencia reminiscente, onirogenésica, busca, mediante la incesante variación icónica y el libre arbitrio de la representación, penetrar en la casa del desierto, la del espacio incondicionado. Lezama Lima evoca los temas taoístas del espejo, el andrógino, el Gran Uno, la esfera, el tigre, el búfalo, convoca una cohorte de animales emblemáticos, donde el cínife y el escorpión cohabitan con el áspid y el águila, en la que Júpiter se metamorfoseó para raptar a Ganimedes. Están también los

9. *Introducción a los vasos órficos, op. cit.,* p. 127.
10. *Ibid.,* p. 248.

simios escanciadores y descifradores, el cinocéfalo, encarnación de Toth, divinidad de la sabiduría, patrono de los letrados, escriba divino. Estos animales aparecen desde la inmediatez de la letra como mediaciones simbólicas; en su mayoría escapan a la experiencia directa del poeta, son mitologemas de provenencia libresca. Inmersiones, empastamientos, evaporaciones, todo se disuelve, se disipa, sugiere estados cambiantes que escapan al asiento, a la postura de los sólidos, a lo fijo y delimitado. El trompo androginal todo lo torna polivalente. Su movimiento es regresivo: prefiguración, retrospección, vuelta a lo embrionario, a lo matricial, a lo tanático (el Canciller Nu es el primer portero del submundo y Proserpina azuza con su látigo los negros caballos de la noche). Lo griego está representado por lo bisexual; Júpiter y Ganimedes, Céfiro y Jacinto; lo hierático egipcio por la salas hipostilas, cuya columnas vegetativas con forma de palmera o loto están hechas para soportar no el techo sino la bóveda celeste.[11] Lezama Lima recurre al tao como la cifra de las inúmeras metamorfosis, de la invisible preñez, alude a la concepción taoísta del andrógino primordial, del embrión incesante que mora en los libros o en la raíz de los grandes árboles. Opone a Proserpina, diosa nocturna de la intimidad corporal, caprichosa dadora de preñez o de esterilidad, el ascensional Apolo, luminoso citaredo, patrón de las artes que preside la reunión de las musas.

El sexto círculo corresponde al cuerpo en su despertar arbóreo, el cuerpo como potencia placentera y como forma eficiente. La materia reducida a su poder no da la medida de nuestra posibilidad. La materia ignora su poder despertador. En el griego, el cuerpo se abre a la perspectiva arbórea, extrema su potencia actuando sobre el *posibiliter*, la infinita creación de lo inexistente (saliendo de lo existente, la creación recobra su infinitud). El acto, arco de lo desconocido, puede tender así hacia la perspectiva de su indistinción. La visión fruitiva comienza por la ceguera frente a lo existente, ante lo causal condicionado. Olvidados los límites, el contorno puede coincidir con el éxtasis, éxtasis de participación en la unidad. El acto primigenio, la creación por lo oscuro, se establece en la errancia, en la no forma; es arco, puente, transbordo; es fantasma

11. *Ibid.*, p. 196.

reidor, inasible mutante; equiparado al esturión andrógino, recupera la polivalencia original; recobra lo súbito, lo oblicuo. Toda la heteróclita seguidilla de símbolos transeúntes tiende a confluir en el origen sustitutivo, en el huevo órfico (que contiene el Eros dorado); todo tiende al despertar en la extensión que conecta con la desmesura, con la intocable lejanía.

(Traduzco la representación simbólico-alegórica del texto a sus equivalencias doctrinales, que remiten a la concepción estética de Lezama Lima: *Dador* impone la lectura metapoética. *Dador* se emparenta con la literatura mística; representa por la imagen un conocimiento cuyo objeto se sitúa en la infinitud transfenoménica. Dador establece una dialéctica trascendental entre imágenes fantásticas e ideas teológicas, que cristaliza en pasajes sentenciosos que dan las pautas de la interpretación simbólica.)

La octava secuencia poética urde un contrapunto entre lo luminoso ascendente —lo órfico, lo apolíneo—, vector de transparencia, ligado a la mirada interrogante, al despertar del cuerpo y a su contemplación, y el descenso al origen acuático, al algoso lecho, a la primigenia agua lunar. Sueño marino de regreso al vientre placentario, a la inmersión amniótica, mecido por las ondas maternales que promueven una dinámica de penetración incestuosa. Lo fálico busca hundirse imaginariamente en simbólicas concavidades. Visiones de una voluptuosidad emoliente proponen una libidinosa molicie. La vaca de madreporario hociquillo voluptuoso brama en celo mientras regala un caricioso vaho. El cuerpo está tentado por el repliegue en la caverna musgosa, por la conversación con los tiernos salmones, por el bienestar entrañable, por el retorno a las satisfacciones primigenias, pero va a ser impulsado por la luz melodiosa a romper la bolsa y a despertar al esplendor solar.

La novena secuencia versal, apoteosis fálica, celebra la cópula universal. Todo redunda en interpenetraciones sexuales. El falo charlatán se entierra en las arenas, el falo subterráneo es un pedernal de saliva melosa. Plenilunio de estío, la matria lunar preside la priápica comitiva, estimula las fugas del cuerpo boquerón de deseos, inspira las proezas del falo piróforo. Especie de égloga de la fornicación, las imágenes se confabulan para intensificar el erotismo genital. El lanzazo penetra en el húmedo cucurucho y el toro suelta su agua de coral albino nadando por hormigas hambrientas. El *lingam,* principio causal de la generación, entra en la vagina pluviosa para coronar las múltiples introducciones metafóricas por entradas que eufemizan las aberturas del cuerpo.

La décima secuencia enuncia emanaciones, evaporación, condensación del esbelto cuerpo hundido aún en una deriva que prolonga su origen acuático. En él penetra lo terrestre que le da consistencia carnal, infernal gravedad, soliviada por la poesía. Esta levitación mnemónica lo eleva, le regala el conversacional, la relación armónica, la símpatía entrañable del pájaro con la brisa, de la hiedra con la higuera. Triunfo órfico, suscita una invasión musical. La flauta crece, alcanza la extensión sumergida, ocupa la extensión del sueño, despierta el conocimiento en la lejanía, aporta la llave que abre la puerta voluptuosa. Ante la progresión seductora de la música, las manos cierran la visión marina, la embriaguez oscura se anega, los cuerpos abandonan sus claves numéricas, claves de apoyatura, y se alzan en transparencia hacia la revelación. Criatura revelada y conocimiento del libro se conjugan para romper los sellos, y el cuerpo, desligado de su remolino medusario, ya no ciñe.

La undécima secuencia opera como coda. Una lluvia hiende el aire y la sombrilla abriéndose ofrece amistosa tregua. A la par, un acordeón despliega el hechizo de un danzón, aviva el recuerdo de golosinas: pasteles, guayaba caliente, sorbete de piña. Se oye el pregón del billetero con su promesa de babilónica fortuna. En un salón la victrola difunde un boogie lento y en el contiguo Salón Alaska el danzón hace aullar a la contadora, mientras un hombre enciende con lascivia su cigarro. El niño con los palillos de la suerte y el perro del billetero se ponen a bailar. El danzón provoca ondulaciones marinas. Existen dos salones, dos círculos de signos opuestos; uno es recinto de inocencia donde se aposenta el Espíritu Santo del Faisán que se baña en los ríos paradisíacos; allí resurge la evocación de los pasteles y la guayaba; el otro ámbito es morada infernal, boca del diablo, donde el lúbrico lince muestra en sus bigotes dos carbúnculos. *Dador* concluye con una visión residual, con los dispersos restos de un festín, *disjecta membra* que cierra la puerta del poema:

El infierno es eso: los fragmentos del pescado,
con su coronilla de camarones; sílabas del bulbo
de la médula de la palma *gelée*; el espárrago
de la comedia del arte, métrica cremosa de flautines.
....
.... El infierno es eso:
los guantes, los epigramas, las espinas milenarias,
los bulbos de un oleaje que se retira,
las dos máquinas que se seguían, el *Orfeo* de Pergolessi,
los mozos recogiendo las migas ingeniosas en su fuga,
la puerta que se cierra como un *tutti* orquestal en el vacío,
mientras el japonés en *smoking* se inclina,
para recoger el clavel *frappé*, en el bostezo
de la cuarta dinastía de sus sandalias charoladas (253).

En *Dador* el hermetismo es constituyente del signo poético.[12] La exégesis resulta impracticable; tal supremacía del sentido figurado provoca una indetenible subversión referencial; el continuo metafórico torna tan traslaticia la significación que no hay interpretación capaz de estrechar el abanico simbólico. Inagotables virtualidades simultáneas se abren sin solicitar una elección determinativa. La empedernida impertinencia impide establecer equivalencias que puedan considerarse claves o pautas capaces de esclarecer tanta simbología tan hilozoísta, tan hipertélica, capaces de descifrar esa plenitud escurridiza que escapa siempre más allá, superando todo determinismo. Lezama Lima no va de la causa cognoscible al efecto visible, sino del efecto sorprendente a la iluminación de la causa recóndita. Utiliza la poesía como análogo errante, el de la temeraria reconciliación, apto para entablar correspondencias entre todo lo imaginable. Parte del contrasentido (que en primera instancia parece generador de sin sentido o de malentendido), al que llama «trayectoria inversa», que va de lo infuso, en pos de su eco, hacia su gravitación en la otredad.[13]

12. «Yo dije varias veces que cuando me sentía oscuro escribía poesía. Es decir, mi trabajo oscuro es la poesía y mi trabajo de evidencia, buscando lo cenital, lo más meridiano que podía configurar en mis ensayos tiene como consecuencia la perspectiva de *Paradiso*» (*Recopilación de textos sobre Lezama Lima, op. cit.*, p. 25).

13. «Una inquietante jugada verbal, porque algo se adelantaba, algo retaba y lanzaba su llamada, sobre una

De *Dador* sólo puede hacerse exégesis en el sentido cabalístico de la interpretación simbólica de un texto a la vez oculto y revelado, esotérico y exotérico, cuyo sentido debe expandirse y cuya esencia es la referencia inexpresada. De *Dador* se puede hacer paráfrasis, glosa, pero no hay posibilidad de revertir el lenguaje impropio en propio o mejor dicho, el funcionamiento de lo emblemático no se entiende en relación con los binomios propio/impropio, recto/figurado, literal/metafórico. Aquí la dislocación (el sacar de su lugar) metafórica es inherente a la constitución metafísica del significar. La lujuria léxica, la exuberancia icónica, la frondosidad sintáctica rechazan toda estructura, no hay *patterns,* no existen casi módulos de recurrencia ni sentido discreto en los segmentos. La voz está propulsada por la omniposibilidad verbal, por el babelismo primigenio. Sin arquitectura, contrapuesta a la gramática, la lengua quiere manifestar la proliferación original. Confabulándose con esta plétora, la metáfora opera a fondo, sin prisa y sin pausa. *Dador* es un continuo metafórico que vuelve irreconocibles e irritantes los objetos por transferencias insensatas de su esfera a otra completamente extraña.

Dador es simbólico, en el sentido en que lo son los textos religiosos. El símbolo se profiere a partir de la plenitud del lenguaje, de un sentido que ya está, que tuvo ya lugar y que el signo concentra con todas sus presuposiciones. El símbolo es dador de sentido, presupone una inclusión aluvional, múltiple y remota. No es punto de partida sino una reminiscencia, un oscuro reconocimiento. No un por decir sino un todo dicho pero enigmáticamente. El sentido primero impulsa fuera de sí, hacia un sentido segundo implícito en el símbolo pero opaco. El sentido literal propulsa una analogía que contiene en sí misma el análogo, nos hace participar del sentido latente asimilándonos a lo simbolizado sin que podamos inteligir la semejanza.[14]

El símbolo tiende a sobrepasar la esfera de la lengua, apunta a lo inefable. Deja entrever o entreoír aque-

---

red que mostraba un solo pez afanoso de amigarse con todos los peces» (*Introducción a los vasos órficos, op. cit.,* p. 256).

14. V. «Hermeneutique des symboles et reflexion philosophique» en Paul Ricoeur, *Le conflit des interprétations. Essais d'herméneutique,* Paris, Seuil, 1969, pp. 283 y ss.

llo que no puede ser dicho, que no puede tornarse explícito, lo profundo o lo elevado inaccesibles por vía verbal. El símbolo transporta (remonta o zambulle) al más acá o más allá de nuestra instalación mental en la realidad. No da acceso por los sentidos conexos a uno más vasto, se asoma a lo otro, a lo que está fuera de la esfera del sentido. No significa, manifiesta, pone en presencia de lo extraño, torna sensible lo que se resiste a la significación (en primera instancia: lo informulable, en última: lo inaprehensible). Pone en contacto con lo numinoso o con lo que precede al lenguaje, con lo intangible por sublimación, y con la materia densa y gruesa por espesamiento, con el hervidero del fondo, con la mezcolanza de la intimidad corporal. El símbolo perturba el saber establecido, toda fijeza perceptiva o intelectiva, nos devuelve a lo latente, nos expone a la tentación y a la amenaza de lo desconocido. El texto simbólico no es edípico sino esfíngico, se abre a las afueras del conocimiento, se abre a lo quimérico, a lo pítico, a la región de las deidades inferiores o superiores, al Averno o al Empíreo (a la prehistoria o a la ultratumba), al aquende o al allende donde ningún saber puede asentarse. Un texto simbólico como *Dador* más que transportar, deporta, expulsa hacia ninguna parte, hacia lo indescifrable. No hay en el símbolo más cifra ni más clave que esta excentricidad que engendrándolo lo axilia.

Históricamente, Lezama Lima resulta un simbolista rezagado. Integrante de una promoción postvanguardista, conoce las manifestaciones estéticas de su época, pero no afinca mentalmente en lo contemporáneo. Desplaza su horizonte de conciencia hacia el idealismo, el exotismo, el ocultismo y el fantasismo modernistas, y los prolonga hasta la exacerbación. Se empeña en la recreación arqueológica y en la fabulación quimérica, cultiva hasta el delirio la imagen transcultural y transgeográfica, extrema los recursos de ensoñación sublimante, la búsqueda del transporte transfigurador, la concepción epifánica de la poesía.[15] Lezama Lima está

15. V. «I fantasmi di Eros» en Giorgio Agamben, *Stanze. La parola e il fantasma nella cultura occidentale*, Torino, Einaudi, 1977, pp. 28 y ss. Debo a este libro varios penetrantes préstamos que me permitieron desovillar la intrincada madeja de *Dador*. Dejo aquí sentado mi reconocimiento a su autor.

más cerca de Maeterlinck y de Mallarmé, que del Joyce del *Ulises* y del Pound de los *Cantos*, incluso considerando que ambos rinden también tributo a mitos y épocas de gran prestigio literario. Artificio ilusionista, pase mágico, arte de encantamiento, carnaval legendario, la poesía de Lezama Lima retoma el misticismo estético, el todopoder de la imaginación evasiva, la opulenta mascarada, el gusto acumulativo, el máximo alejamiento de lo circunstancial y circundante propios de Herrera y Reissig o del Darío fantástico. Poco o nada tiene que ver con el creacionismo de Huidobro, con la concepción moderna de las libertades textuales. Su libertad de asociación no debe asimilarse a la irracionalidad surrealista, inspirada en un psicologismo postfreudiano que comercia con el subconsciente. Nada tiene que ver con la estética de lo discontinuo y fragmentario, con la tensión disonante, con la articulación por saltos o fracturas, con el ritmo espasmódico, con la subjetividad atribulada, con los códigos negativos de Vallejo. No existen en Lezama Lima ni coincidencias ni tangencias con la modernolatría futurista o con el Esprit Nouveau de Apollinaire. Su poética es regresiva, no establece ninguna conexión con la revolución tecnológica, es ajena a la noción de crisis, de colapso, de corte epistémico. Su escritura inocente, su visión beatífica permanecen inmunes a la óptica desintegradora de la vanguardia, a toda carencia óntica. No hay en Lezama Lima ni atisbos de conciencia escindida o conciencia fáustica. No hay en Lezama Lima ni atisbos de historicismo, sus mitomaquias acontecen como historia natural o historia sagrada; Lezama Lima no entra en el tiempo histórico eventual, prospectivo, irreversible, profano; o sólo entra considerándolo tropológicamente (como teleología divina) o anagógicamente (más allá de lo fenoménico). Lezama Lima saca su poesía por completo de toda situación de uso, la mantiene totalmente extraña a cualquier restricción empírica, libre de toda situación fáctica. Lo que asombra en Lezama Lima es esa imagen exculpada y extraterritorial que pone en funcionamiento todos los mecanismos de la irrealidad.

El inquietante extrañamiento que todo, hasta los objetos más familiares, torna enigmático es el precio que esta fantasía quimérica paga a las potencias que custodian lo inaccesible. Con su epifanía de lo inalcanzable, Lezama Lima intenta dar cuerpo a sus fantasmas, fantasmas propios o expropiados del acervo fantasmagórico ancestral. Intenta por la práctica poética apropiarse de aquello que de otra manera no puede ser ni apresado ni sabido. Cual reliquia de un pasado edénico equiparable a infancia, captura verbalmente un barrunto de lo que puede poseerse sólo a condición de haberlo perdido para siempre.

La poesía de Lezama Lima celebra una mística fantasmática (o un simulacro fantasmal). En ella se reencarna el espíritu fantástico. Concebido como un espíritu sutil y situado en el extremo del alma sensitiva, el *fantasticón pneuma* recibe las imágenes de los objetos, forma los fantasmas del sueño y en determinadas circunstancias puede salirse del cuerpo para establecer contactos y provocar visiones sobrenaturales. Es el asiento de las influencias astrales, el vehículo de los influjos mágicos y el intercambio entre lo corpóreo y lo incorpóreo. Permite dar razón de fenómenos inexplicables como el influjo del deseo de la madre sobre la blanda materia del nonato, la aparición de los demonios y el efecto de los fantasmas de acoplamiento sobre el miembro viril.[16]

Lezama Lima, lector de Platón y de Aristóteles, de libros herméticos, de bestiarios, de la angiología tomista, de la leyenda áurea, de la patrística, parece imbuido de esa fantasmatología medieval nacida de la teoría aristotélica de la imaginación aunada con la doctrina neoplatónica del pneuma como vehículo del ánima, la teoría mágica de la fascinación y la médica de las influencias entre cuerpo y espíritu. La misma teoría permite explicar la génesis del amor, considerado desde su origen como proceso fantasmático. Según ella, el origen y el objeto del enamoramiento no es un cuerpo externo sino el fantasma impreso, imagen interior plasmada por el espíritu fantástico. Sólo la atenta elaboración y la contemplación inmoderada de este espectro es capaz de generar una auténtica pasión amorosa. Se trata ante todo de una fantasía erótica (como la del síndrome atrabiliario que Marcello Ficino describe en *De amore*). Se inspira en un ambiguo comercio con la propia producción fantasmática, vinculada con una doble polaridad demoníaco-mágica y angélico-contemplativa. Esta excepcional disposición imaginante propende tanto a dejarse fascinar por lo nigromántico como por

16. Scipione Ammirato, *Il rota ovvero delle imprese*, citado por G. Agamben, *op. cit.*, p. 178.

la iluminación extática. Permite gozar desatinada, incontinentemente, con desmesura narcisista de la fabulación personal exacerbada por la imposibilidad de poseer el inalcanzable objeto del deseo. Así, creo, funciona la poesía voluptuosa de Lezama Lima.

Dador es a la vez teodicea y pura proyección fantasmática, cuyo carácter de prodigio, de treta ilusoria, permite al fantasma acceder al lenguaje. Esta naturaleza fantasmática del eros poético ya fue revelada por la lírica trovadoresca y por el *dolce stil nuovo*. Ambas escuelas conciben el fantasma como imagen interior autosuficiente, autotélica, como hábito fantástico, inscripto en una circulación que halla en la versatilidad amorosa a la vez su exasperación y su cumplimiento. La experiencia amorosa, hecha de contemplación y cogitación obsesivas en torno del fantasma interior, hecha de concupiscencia (en tanto que el deseo tiene por origen y objeto inmediato el fantasma, mediación imaginaria de lo inapropiable), sólo puede explayarse en la realidad fingida del poema. Dante dice en la *Vita nova* que el fin y la beatitud de su amor residen «in quelle parole qui lodano la donna mia». El acabamiento del amor se da en su único cumplimiento cabal: en la palabra poética, dictado de amor aspirante, círculo hermenéutico y hermético donde, como en *Dador*, la pneumofantasmatología encuentra su posibilidad de despliegue y su culminación.

La palabra poética es el lugar reparador donde la fractura entre el deseo y su inapresable objeto consigue soldarse, donde el volátil Eros (eros relacionable) y Narciso, amante hasta el delirio de su imagen (de su representación autorrefleja), se reconcilian. En la práctica poética, Narciso consigue apropiarse de su espectro y dar curso a su *fol amour* en un círculo donde el fantasma genera el deseo, el deseo se traduce en palabra y la palabra instaura un espacio imaginario que vuelve posible el adueñarse de aquello que de otro modo no puede poseerse ni gozarse. El vínculo neumático que liga fantasma, palabra y deseo, instaura un espacio, el poema, lugar sin lugar, único asilo abierto al cumplimiento de lo imposible. La poesía será, a partir de la lírica provenzal, la estancia (*stanza*) donde se celebra el *joi d'amor* (conjunción de *jocus*: juego de palabras y ludus: juego corporal), *entrebescamen*, entrelazado de deseo, fantasma y palabra en lugar utópico/ucrónico/erógeno de la poesía. En esa escena circular, englobante, unitaria, inconmensurable, el deseo puede transgredir toda denotación realista, puede realizar su transferencia no referencial, puede escandir el significante inefable, puede ejercer su doble dinámica, la proyectiva: que tiende hacia la reproducción simbólica del objeto deseado, y la retroactiva: hacia la experiencia de satisfacción primigenia, puede representar como presencia virtual al ausente, al complementario que en el poema aporta ilusoria completud. Con su sobrabundancia fantasmática, Lezama Lima va a exagerar el rasgo distintivo de la lírica romance: el *trobar clus*, va a exagerar la tendencia a la autonomía, el absolutismo del poema que se evade hacia su propio círculo secreto, se recoge en la cámara nupcial donde celebra (es decir, apalabra) la unión incesante del deseo con su fantasmático objeto.

La presentación figurada del objeto inapropiable hace salir al fantasma de su madriguera. Mediante la introyección de la libido, devuelta a la autogénesis, al autogoce, al autoerotismo, la percepción de lo ajeno, de lo otro, lo real pierde alucinadamente su realidad para cederla a lo irreal, a la ficción satisfactoria. Expulsado el mundo exterior por la autocontemplación narcisista, el fantasma abandona su cripta, entra en escena, multiplica sus representantes, se inviste de figuraciones que lo metaforizan, desparrama trazas mnémicas, se difunde en el poema, moviliza una red de relaciones equívocas, constantemente se desplaza como huidiza alteridad con respecto al orden del discurso, lo constela de imágenes impelidas por un nomadismo inmemorial, marca en concentraciones fugitivas la presencia sígnica de un referente oculto y omnirrepresentado. El poema instala un espacio intermediario entre la delirante escena mental del fantasma interior y el orbe objetual, una recreación, un interregno festivo (Citerea, India Galante, Florida, Jauja, Juvencia, Isla de los Bienaventurados, isla del tesoro) donde las figuras simbólicas se entraman con el juego textual para que el hombre pueda apoderarse del mundo que le es más inherente y más evasivo: mundo íntimo del cual depende, como de ningún otro, su ventura o desventura.

Ninguna poesía pone más de manifiesto que la de Lezama Lima su doble condición de fetiche y de juguete. *Dador* es un objeto fetiche, sinécdoque que convoca por la materialidad de la letra o de la voz, por lo tangible, la excitante presencia de una ausencia venerada. Lezama Lima, insaciablemente, colecciona toda clase de marcas figurales, apela a la biblioteca y al museo universales para elegir los más diversos y abundantes iconos que subjetiva y afantasma, hasta convertirlos en huellas signicas que evocan la indecible omnipresencia del objeto deseado. Se regodea en acumular y diversificar estos sustitutos donde encuentra contentamiento provisorio de un deseo en continuo desplazamiento. Todo lo convocado apunta siempre más allá de sí mismo, invoca lo que sólo puede obtenerse a partir de una pérdida. Esta ambigüedad constitutiva del fetiche, la de ser negación de una presencia, presencia simulacro o signo de una ausencia, hace que el fetichista almacene sus fetiches, sustituibles al infinito, sin que ninguna de esas reencarnaciones figuradas consiga manifestar plenamente el objeto añorado. Multiplica las muestras de la presencia deseada sin poder nunca asentarla. Multiplica las reapariciones sin poder nunca apresarla. Transferido a través del cambiante cortejo de imágenes supletorias, el deseo sólo puede aspirar a la satisfacción fantasmagórica a través del ritual de una mística fabuladora. El ingreso de un objeto a la órbita del fetiche es signo de transgresión de la regla que asigna a cada cosa un uso apropiado y un sentido propio, es desvío por empleo inapropiado y sentido impropio, es tergiversación por obra de una sobrecarga simbólica que traslada lo palpable a la esfera de lo intangible, de lo imponderable.

Dador es también juguete, objeto simbólico ajeno al orden utilitario, exento de limitaciones fácticas. Objeto fuera de norma, permite una conducta emancipada, sujeta sólo a su propia regulación. Objeto de transición, se sitúa en una zona intermedia entre el autoerotismo y la elección objetual. Pertenece al área de la ilusión; media entre la esfera de la subjetividad íntima y la objetiva externa; pertenece a un espacio potencial que propicia un comportamiento impráctico y fantasioso, que faculta para un contacto extraordinario con lo real. Libro de imágenes, teatro de maravillas, linterna mágica, *Dador* tiene bastante de juguetería, propone un entremundo regido exclusivamente por el principio de placer, mundo de ilusión cuyas figuraciones, liberadoras de la energía psíquica reprimida, aparecen exculpadas, recuperan el candor edénico, vuelven al juego polimorfo, al niño inmortal que persiste en cualquiera de nosotros. El juego es en Lezama Lima rotador de lo imposible creíble, operador de transferencias y trastocamientos que lo convierten en pasaje de lo cultural a lo cultual.

Lezama Lima cultiva la estética de lo extraño y lo profuso, colindando a menudo con lo estrafalario y lo exorbitante. Entre la formulación edípica y el despropósito esfíngico, elige el inextricable y recóndito decir de la Esfinge (cabeza y busto de mujer, cuerpo y patas de león: monstruo: mezcla de géneros, confusión categorial: desorden que remite a otro orden), elige el discurso simbólico y por términos impropios, que libra escondiendo y esconde librando, el discurso indescifrable, lo inquietante que no dice ni oculta, significa. Lezama Lima osa los avecinamientos más inauditos que sugieren la juntura indecible entre la presencia y la ausencia. En esta convocatoria de lo distante, lo disímil y lo contrario se disparan hacia su invisible punto de contacto. Lezama Lima se deja cautivar por el laberinto. Atraído por lo excedente, por lo inmoderado del dictado oracular, por lo sibilino de la forma emblemática, se orienta hacia el centro secreto del lenguaje en busca de otros modos de significar. Va a reimplantar el principio de incongruencia del Pseudo Dionisio el Areopagita, la congruencia por desvarío según la cual, para hablar de instancias místicas, la impropiedad es más justa que la propiedad, las negaciones son más pertinentes que las afirmaciones. Lezama Lima restaura la representación que procede por discrepancia y salto extraordinario, más poderosa que la que obra por analogía y semejanza, porque los arcanos imponen su propia congruencia, la manifestación por medio de figuras disímiles, la congruencia paradójica. Lezama Lima retorna plenamente a la cultura simbólico-alegórica. Sólo ella le abre la vía al ancestro; sólo ella le permite metamorfosear el germen, penetrado por el sueño, en acto poético; sólo ella le permite romper los sellos y reintegrarse al remolino del dios que unifica en la lejanía.

La metáfora es el paradigma del significar por términos impropios de los emblemas, las empresas, los blasones, las agudezas. Impone un principio de divorcio, la disociación de cada cosa de su forma propia, la confusión del vínculo de cada objeto a su propia apariencia, de cada criatura a su propio cuerpo, de cada palabra a su significado propio: impone un travestismo generalizado, un desdoblamiento indetenible: *Dador* es un baile de máscaras. Cada cosa significa en la medida en que remite ocultamente a otra; ninguna cosa significa en sí misma si no significa enigmáticamente otra. La desemejanza quiere ser aquí una semejanza de orden superior, una semejanza trascendental. Como dice Scipione Ammirato de esa metáfora pintada que son las empresas: «Su maravilla nace del acoplamiento de la oscuridad de la palabra con la recóndita naturaleza de las cosas que produce una conjunción de naturaleza diversa a la de los componentes».[16]

Si Edipo representa la luz de la conciencia, la claridad que deja transparentar el contenido concreto a través de la forma congruente, la Esfinge comporta la oscuridad del inconsciente: un decir opaco, revolvedor, que remite al fondo entrañable. Este discurso figurado, profuso, enmarañado, se plaga de símbolos que remueven una intimidad incompatible con la propiedad de la conciencia. Para el discurso de Lezama Lima no hay Edipo que lo descifre, que lo desimbolice, que lo traduzca a signos razonables, no hay Edipo civilizador (colonizador) que nos libere de la esfinge atávica.

Poemas como *Dador* son impermeables a la noción de estructura, resistentes a la idea de código: son constitutivamente entidades profusas, como selvas, monstruos, tormentas, tropeles, cardúmenes, tesoros. La naturaleza y la cultura acumulativas de Lezama Lima favorecen los efectos de arborescencia, proliferación, acopio, mezcla, ovillo. A través del sin número, de la gozosa incontinencia, del embrollo, de lo quimérico, la imaginación recupera mundos relegados, paralelos, arcaicos. Su lengua errática y su escandido oceánico dicen la inmensidad que anonada, el reconocimiento en la distancia, el acto de máxima participación, la sobreabundancia lanzada a la otra orilla carnal. Por fin, no hay en *Dador* ni cortes diferenciadores, ni vacíos, ni privación, ni amarre, sino una potencia implicativa, pletórica. *Dador*: concupiscencia de la omniposibilidad verbal: fiesta del ser.

16. Scipiano Ammirato, *Il rota ovvero delle imprese*, citado por G. Agamben, op. cit., p. 178.

Para dar en el blanco

En consonancia y disonancia con las traducciones translingüísticas, intento aquí una intratraducción o traducción interna de BLANCO. Mi homenaje consiste en un apropiamiento del poema, en su transferencia, dentro de la misma lengua pero con otros medios léxicos y gramaticales, a mi propio discurso: es una logo o fonofagia provocada por la fruición poética. Emprendo así, estimulado por los incitamientos de Octavio Paz, traspasos equivalentes a los que se operan en el texto matriz donde se dan otras tantas traducciones: el pasaje de las teogonías orientales por la conciencia lingüística contemporánea, el traslado del mandala tántrico, figuración de la vía iluminativa, a una prosodia moderna que lo trastoca en ideograma de abolengo mallarmeano.

BLANCO: tránsito del amarillo fogoso de la sensación al azul aéreo, a lo cerúleo del entendimiento: sensación luciente, lúcida/entendimiento apetitivo, concupiscente: saber sensual: acceso al centro del mandala, a lo axial, al concilio de las oposiciones en la concertación unánime, en el uno convergente primigenio.

Poema: re-presentar el re-nacimiento: instaurar es restaurar: transido transcurso, transporte por la noche de tinta sobre el día de la página, travesía desde la blanca plétora de inminencias, del predecir, de la protopalabra, de la virtualidad germinativa al torbellino del advenimiento, al torbellino orquestal de las apariciones.

Cuervos revolotean sobre el blanco, sobre la planicie desnuda: sembradío de letras, asentamientos, inscripciones, impresiones de cuños que fijan los signos, los estampan: estampado, textura de cuatro hilos que van a urdir el diseño, discurrir por el silencio locuaz, silencio elocuente, sobre el cuerpo de la letra, sobre grama, para propiciar (ofertorio) la resurrección del otro cuerpo (aerofanía): suscitarlo, resucitarlo en sus espejos, por el haz reverberante de la imagen, por el hormiguero de motas, tildes, marcas: halo de hálito, aura, mirada enamorada de su objeto, objeto transitorio, transitivo, tránsfuga al sentido, de los sentidos acicate, objeto apetecido, reflejante y reflejado en lo palpable de la página: piel, piélago: pantalla del mirar: espectrograma: llamada, llamarada que la palabra exhala, árbol de nombres, urdimbre de aire, llegada de ella (pasos, trasunto) a la trasluz, a la transparencia, a la trasnada: poema: bocanada: boca... nada.

Cuatripartita sinfonía, melodiosa mitomaquia: amarillo, rojo, verde, azul; fuego, agua, tierra, cielo; sensación, percepción, imaginación, entendimiento mutualmente (mente mutual) permutables: el rodeo y el atajo llevarán al mismo punto: vías horizontales, verticales, diagonales: la parte siempre porta el todo: toda encrucijada es mundo henchido: tetravalencia traslaticia: remolino de las transformaciones: la pareja duplicada y desdoblada: teatro del eros relacionable, del relacionable genésico que redunda el sentido en todo sentido: las dos columnas se atraen: buscan la cópula: se machihembran: concentraciones y desbandes concertados, continuidad del ritmo circular: circulación ritual: contracción/dilatación: escritura palpitante: sístole y diástole simbólicas (clausura y apertura de los sentidos figurados).

El poema se despliega, anda por la vía unitiva de sus ejes de semejanza que entablan los circunloquios: corre, discurre por las paralelas de la significancia buscando intersecciones: cruce y cruza de figuraciones: las nupcias alegóricas, los enlaces metafóricos: juntas/fugas temperadas, regalo reglado por el estro armónico, por el contrapunto de atracciones y rechazos.

Correspondencias que se extrapolan de uno a otro orden, reversibles, buscándose, buscando encrucijadas plasmáticas, donde la materia del mundo se vuelva (se vulva) palabra, soplo generador, pase de carne a verbo, verbo en vena: de los cuatro colores, tres son símiles, remedos, en tanto que el rojo se sustancia para ensangrentar el texto: sistema circulatorio, aparato linfático, cuerpo sanguíneo, placenta lingüística.

BLANCO repone, reanuda con la visión cohesiva del cosmos: mediación mitopoética, conjuga donosa, gozosa, solidariamente mente y mundo, logos y fisis, sens y sensa: doxa encendida: iluminación: orbe de resonancias dialógicas: ecos y llamados respondidos: columpio de la letra a la cosa a la letra: da crédito a la decibilidad de lo real y lo afantasma: dice que el mundo es decible y por ende, traducible.

Alberto Girri: fases de su creciente

Desde *Playa sola* (1946) a las *Elegías italianas* (1962) se ve montar a Girri hasta instalarse, por paulatino despojamiento, por retención, por concentración, por agravamiento, en la palabra apropiada a su severo decoro, en la palabra proverbial que corresponde a su rigor inquisitivo. Vale la pena, importa repasar las fases de su creciente, seguirlo en su remonte que remata en ese arte de conceptuar figurando o de figurar conceptuando que se convertirá en su matriz personal, en esa elocución sentenciosa que es ya su seña de identidad literaria.

Girri parte de la sobreabundancia, de la grandilocuencia, de la diversificación léxica, del cúmulo icónico, de los altibajos tonales, de una prosodia fluvial, rapsódica que reclama los versos largos, los desarrollos expansivos, la verbosidad. Poesía eruptiva, compelida por un yo patético, altisonante, por un epicentro elocutivo que quiere monopolizar la voz, autorreferirse, autoexpresarse, explayarse, que pugna por desbordar. Ego centrípeto, quiere manifestarse al máximo, monopolizar el papel protagónico mediante un monólogo turbulento que registra las turbaciones de una conciencia atribulada. El poema es absorbido por la turbamulta visionaria del locutor:

No te quiero como una mancha inerme entre dos fechas
con los habituales testigos que componen toda historia
disueltos en la cruz de la ventana —transida vena—.
No es el amor ni es negocio del alma,
es un agradecimiento dispar y sin rigor,
redención parapetada en los atardeceres
que demora el aire muerto de los espejos,
mi orgullo esquivo

y tu aliento mojando la ciudad dormida y admirable.
No es el amor ni es negocio del alma,
es la acción particular del tiempo,
y debes saberlo,
porque las horas que declaro ciertas
estaban gobernadas por el único metal que escucha:
el fuego.

(*El amor*, I, p. 13)*

El poema explicita la autoexégesis de un yo elocuente que se confiesa, que inscribe sus perturbaciones anímicas, yo cuitado que registra las efemérides de su corazón, su anecdotario psicológico, su dolo y su duelo amorosos, que discurre sobre su sentir poniendo en juego un borbotón metafórico en fatasmagorías y la intrincada, la caprichosa casuística de la razón (o sinrazón) de amor.

En *Coronación de la espera* (1947), el canto elegíaco exalta y excecra las aventuras, venturas y desventuras, bienandanzas y malandanzas de la relación erótica. El poema es sismógrafo o estetoscopio; marca las oscilaciones de la pasión: avenencias, desavenencias, ocurrencias, incidencias del desasosiego sentimental. El lamento reclama no sólo conmover a la destinataria; por amplificación redunda en perturbación universal.

Esta primera poesía de Girri, de la ampulosa, de la caudalosa extroversión, afecta al énfasis, al arrebato, a la fastuosidad, carga la escena con los prodigios de una imaginería fabuladora, concita metáforas surrealistas, convoca lo sobrenatural:

Allá donde las vocaciones infantiles que sirven la soledad
miran irritadas como en lugar de sortijas
el azar, el ocio, la intangible venda del amor,
les coloca sombras lánguidas de niñas
para recibir dignamente la sed que se inaugura,
el ángel (se adivina su gracia de ciego),
revela que el mundo es una llama
rendida sólo a la blanca codicia de perderse
o devastarse contra un hombro.
Lo demás, collar vergonzoso de palabras,
flechas lanzadas hacia prostituciones

* Las indicaciones de página corresponden a Alberto Girri: *Obra poética I*, Buenos Aires, Corregidor, 1977.

y engaños,
y uniones criminales,
y bien dotados hechizos para tranquilizar a los poetas,
conservémoslo también.

(*El agradecido*, p. 51)

Girri se entrega a la energía conjuntiva de una imaginación que, librada a su propio albedrío, impone, por encima de las distinciones y separaciones de lo real empírico, su prolífico impulso, su afán copulativo.

Si en los libros iniciales Girri opta por (o incurre en) la disparidad léxica, desplazándose en un mismo poema por niveles de lenguaje muy diversos, introduciendo en contextos más bien culteranos modismos rioplatenses o algunos ostensibles neologismos de resonancia ultraísta (múltiples son las reminiscencias de sus mentores inmediatos, los del grupo Martín Fierro, sobre todo de Borges), pronto circunscribirá sus manipulaciones idiomáticas al área tradicionalmente considerada como literaria, reducirá su vocabulario al prestigioso dominio del estilo elevado, implantará sus poemas en la zona adjudicada al género lírico, acatará la autoridad protectora, aseguradora, de los modelos memorables, constantemente evocados o invocados por los textos de Girri.

Pronto Girri exhibirá su propiedad de poeta letrado que no sólo acepta esa condición inherente al poema, la de ser obra de arte verbal, un tipo específico de intervención lingüística que presupone competencia técnica y que se propone modelar, configurar un orden perceptivo sujeto a sus propios requerimientos; es decir que no solamente acepta lo que el poema implica de artificio y de ficción, sino que hace especial ahínco en la índole literaria del texto.

La literaridad se manifiesta doblemente, como juego de reflejos, como llamadas y ecos, a través de los recursos de estilización que desnaturalizan el poema para acentuar su calidad de entidad estética y por la reiterada referencia a fuentes literarias que obran de patrón. Girri asume reverente y vorazmente la herencia memorable, monumental, indica por señalamiento expreso su situación de tributario tesonero, de memorialista de la historia del arte y de la literatura. Escribe bajo la advocación de sus patronos una poesía que no sólo se surte en ellos, que los emula formal y temáticamente, que los transcribe; también los hace reaparecer como personaje principal sobre la escena de la página (*Thomas de Quincey*, p. 43; *Baudelaire*, p. 139; Petrarca: *San Agustín hubiera visto en mí*, p. 365).

Girri produce una literatura citacional, adicta a la cita de autoridades explícita o implícita. Su obra se presenta ostensiblemente como agente de relación intertextual, como una de las encrucijadas posibles de textos incitantes de toda provenencia.

Después del grado cero y de la tabla rasa que la vanguardia promovió queriendo recuperar la palabra autoral, después de las profanaciones liberadoras para expandir el dominio poético hacia todas las zonas de la realidad, después de la explosión del lenguaje que la vanguardia provocó para adecuar la poesía a la visión contemporánea del mundo, amainado el frenesí experimental, calmado el furor revolucionario, Girri, como otros tantos poetas de la llamada generación del 40, restablece el nexo con la tradición modernista del cosmopolitismo cultural. Como Darío, Lugones y luego Borges, practica una poesía secular, transhistórica, transgeográfica, translingüística, que parangona musa con museo. Poesía memorando, representa una especie de memoria poliglota de ese reservorio ideal donde se atesora el gran legado artístico de la humanidad.

De ese depósito ideal de figuraciones Girri extrae con fruición culterana el grueso de su material simbólico. De ese almacén de paradigmas provienen los mitologemas mágico-religiosos, que la literatura expropia para convertirlos en arquetipos artísticos; Girri los emplea ampliamente como resonadores de lo ancestral. Reducidos a ritual estético, aumentan el tenor literario del texto, sin que su uso requiera el crédito de una adhesión más íntima. Girri aprovecha con pericia de la capacidad de sugestión del ocultismo (*Propiedades de la magia*, 1959) sin que estos préstamos impliquen una concepción esotérica de la realidad. Se sirve del poder mitopoético de la angiología y la demonología cristianas sin que esta taumaturgia presuponga una inspiración mística. No obstante, la preocupación ética de Girri colinda y comercia con instancias religiosas, los interrogantes de Girri se proyectan hacia lo trascendental, su razón moral se avecina a la teológica:

> No sé el fondo, la naturaleza de mi ministerio,
> pero me basta con servir, y llorar la tentación de
> los desobedientes que quisieron bastarse con la

inteligencia. Feliz en la fuente de la verdad, sin la presunción, sin la excusa que busca lo ilusoriamente amoroso para engañar y engañarme; gozando de Aquel que no tiene comienzo porque está y estuvo en mi piedra, en mi color, en el origen de mi forma, en el que conociéndose a sí mismo y negándose talló mi imagen en la piedra (*No sé el fondo*, p. 207).

Girri se va apartando netamente del naturalismo, de la poesía alucinógena, del onirismo vitalista y orgiástico, de la ideología de la inconsciencia que preconiza el enajenamiento, el trance oracular, la abolición de toda censura que impida el aflujo de la carga del fondo impaciente, de las intensidades entrañables. Girri rehúsa todo rapto, todo éxtasis, todo misticismo. Su poesía se vuelve cada vez más controlada, más inquisitiva, más intelectiva. El poema se despliega como disquisición figurada que opera tanto con el sentido recto como con los traslaticios; se torna dilucidario, una indagación que discurre ya por concepto ya por imagen. Su poética es por fin agudeza y arte de ingenio; es sobre todo arte de reflexión (en el doble sentido de reflejar y reflexionar); está sujeto a una preceptiva que no sólo regla una conducta estética sino y sobre todo moral. Afecto al decálogo, a la máxima, cultiva el estilo aforístico, el versículo imprecatorio en busca de la difícil conciliación de verdad y de belleza. Girri abandona la fluencia espiralada y el lirismo florido por la palabra terminante, lapidaria.

Después de desparramar algunos señuelos sensoriales, de apelar a las carnadas sensuales, Girri reprime casi toda voluptuosidad. Poeta poco corporal, evita el desarreglo de los sentidos, quiere domesticar a su animal de fondo, impedirle que irrumpa y aterre sus vigilias. En *La sombra* (p. 113) confiesa la ardiente, imperiosa, sanguínea, oprimente atracción por el cuerpo de la amada, promotor de la pasión y de sus representaciones: generador poético. Pero a la vez reclama librarse del yugo carnal, del absolutismo de ese colmo posesivo, del sojuzgamiento del instinto. Para configurar y objetivar su imagen, necesita distanciarse, abstraerse para idear, desprenderse de la materialidad visceral, operar con símbolos impávidos y no con confusas, con imperiosas sustancias. Alternativamente, Girri vislumbra lo animal como alteridad, como fuerza regresiva contra la cual se construye por diferenciación la trabajosa personalidad consciente (*Llamamiento,* p. 315), y como constituyente básico que nos mantiene aún sujetos a los impulsos, apetitos y pánicos bestiales. *Las palomas* (p. 169) con sus tropismos, sus ritos de seducción, sus acoplamientos lúbricos, detentan, en la aridez urbana, esa potencia prístina que los hombres perdieron. Así el tigre enjaulado que conserva «la majestad / como la más implacable de las fuerzas» (p. 258), recuerda a sus mirones la precaria paz que el hombre impuso a la selva para civilizar nuestra naturaleza de montaraz y cruel carnívoro. También los monos (p. 295), intercesores entre nosotros y el mundo salvaje, aguardan que antes de su extinción el animal erecto, industrioso, el presumido parlante reconozca su propia imagen.

Atracción y recelo por los otros cuerpos, desconfianza de los reprimidos reclamos del propio, fascinación y extrañeza ante las criaturas de esa naturaleza de la que no podemos desprendernos y a la que no podemos reintegrarnos. *Los gatos* (p. 306) amansan su ferocidad, nos conceden momentánea atención, pero vuelven en seguida a su propio universo de percepciones sin interpósitos, retoman de inmediato el contacto con las cosas en sí, en su particular materialidad, del que estamos privados y añoramos. Girri siente esa nostalgia atávica por la perdida capacidad instintiva de instalarse directamente en la realidad sustancial. La recuperaríamos si pudiésemos desembarazarnos de las construcciones cerebrales que la interfieren, si pudiésemos volver a la simplicidad del trato regido por los impulsos, por las vislumbres primordiales:

> ojalá
> que los manoseados símbolos del arte
> terminen por parecer errores,
> efectos vacíos, menos legítimos
> para lograr entenderse con el universo
> que un simple intercambio de amor y odio.
>
> (*Historia del arte,* p. 309)

Girri sabe que el trato de la letra con lo natural no puede sino ser simbólico, que todo naturalismo en arte no es sino figuración ilusionista, trasposición espectral, sugestivo simulacro, remedo artificioso, fingimiento impresionante. Mejor es deponer toda soberbia que pretender otorgar al arte poderes trascendentales, una presunta intemporalidad, sublimidad divina; mejor es resignarse a su entidad fantasmal, a su condición de espejismo, a sus modos de representación ilusiva y elusiva (no de un *en sí* sino de un *como si*) a su irrealidad contra natura; mejor es acatar la impotencia de la letra (ella no crea mundo: lo recrea), saber que se trabaja con logogramas para montar logomaquias. Mejor será resignarse a repetir las fábulas de la tribu, realzarlas con la ornamentación adecuada y verterlas en los surcos de los más diestros hexámetros (*Comentario*, p. 253).

Girri no comulga con esa fe semítica en la potestad de la palabra; juzga imposible anular la distancia entre los signos y las cosas significadas. O quedamos del lado de las cosas o del lado de las palabras; producido el pasaje de lo natural a lo simbólico, la regresión resulta impracticable; Girri reniega de los rituales bárbaros, su poesía no se quiere ni epifanía ni sondeo visceral; no escudriña ni el más acá ni el más allá de la conciencia. Poco pulsional, poco libidinal, ni elixir ni filtro ni alfombra mágica, instaura su peculiar universo de sentido en la franja de la conciencia posible. Sin afán redentor, sin transporte, la poesía de Girri persigue la clarividencia.

Arte de esclarecer por el discurso figurado, cuyas imágenes son nocionales, concurren a concitar el discernimiento, la poesía de Girri restringe las libertades que el texto poético puede otorgarse (libertad de asociación, de dirección, de extensión, de disposición) en aras de un decurso de estricta concatenación. Arte de experta vigilancia para desenmarañar, para clarificar «nuestra selva de inquietudes», arte no de extrañamiento sino de perspicacia, opera más por estilización que por sublimación; troquela la palabra, la talla en busca de la forma concisa y contundente. No se permite el humor, factor del descoyuntamiento irreverente, de la confusión de categorías y del trastrueque jerárquico, equívoco liberador de las restricciones empíricas. Apenas apela a la ironía, desecha la ensoñación: la partida se juega con plena e implacable lucidez. Poesía inquietante, porque su afán demostrativo, su empeño verificador evidencian la pugna de una conciencia desesperada, desesperanzada. El poema se vuelve examen de conciencia; a la vez conciencia dictaminadora, admonitoria y conciencia atribulada, expiatoria; a la vez Jeremías y Job:

> Dueles, soliloquio,
> buscas
> la desquiciada conciencia
> que colmó sus límites,
> y paralizas
> mi ramada antigua, nostálgica,
> mitad huesos,
> mitad presiones,
> y ahora queja.
> Por ti, para ti,
> me duele
> la meta que confiaba ser,
> la ruinosa dialéctica
> de la experiencia,
> intransigente, entera memoria,
> actualizando
> tornadizos niveles de culpa
> donde por caridad mal entendida
> paso sin reconocerme,
> sombra imbécil
> desgranando arisca
> tu justicia. (*Del remordimiento,* pp. 184-85)

Conciencia expurgatoria, purgatorio (*Purgatio,* p. 322) por el irreductible, irredimible absurdo al que estamos condenados, conciencia de culpa, de caída, conciencia abismada, abismal.

Privados de la gracia y de la facultad de alcanzarla, sujetos a «la fatalidad / de hallarnos en la miseria / y no poder trascenderla», perdidas la inocencia, la unidad, la permanencia, falseada la identidad, sin disculpa que mitigue el desvalimiento, sin consuelo por «la endeble significación de nuestro tránsito», la poesía de Girri se convierte en *Examen de nuestra causa,* en requisa de *La condición necesaria,* en requisitoria sobre *La penitencia y el mérito.*

Si bien las letras resultan «voluntad del polvo / treta del diablo», si bien los «manoseados símbolos del arte» sólo señalan, sólo insinúan, pero no pueden representar y menos realizar, si bien la alternativa entre superstición y racionalidad es por fin engañosa, si bien el empeño en la clarividencia acrecienta la conciencia de la incompletud, queda el poema, queda en pie como precaria sincronía contra el gran barullo, contra la turbonada, contra la gritería de los vozarrones insensatos, contra el ruido del fondo sin ley, queda en pie como reparo contra el maremagno, como fulguración en la noche del desvarío, como punto suspensivo en el marasmo, como guarida de mesura contra la desmesura, como islote de asentamiento en medio del revoltijo turbio y fragoroso, como marca a contramano de la dispersión.

Los disparadores poéticos

Hacia los años 60 los poetas jóvenes de América Latina sentimos urgencia por reubicarnos estéticamente, del mismo modo que la coyuntura histórica que vivía el continente nos compulsaba a un replanteo político. Por entonces, el idealismo y el realismo exangües y estereotipados, se enfrentaban con saña simplificadora proponiéndonos opciones exclusivas y excluyentes: metafísicos contra materialistas, formalistas contra contenidistas, exquisitos contra populares, cosmopolitas contra autóctonos, literarios contra literales, puristas contra pedagogos, hedónicos contra utilitarios, individualistas contra colectivistas. Recogida en su santuario, replegada hacia su numen, estaba, como dijera Huidobro, la «manicura de la lengua», la «poesía poética de poético poeta», discretamente observante de las preceptivas tradicionales, timorata en el uso de las libertades textuales, demasiado utópica y ucrónica, abstracta, sublimante, evanescente, suspensiva, reticente. Rechazaba el sociologema para incurrir en los psicologemas y filosofemas más trillados. La hallábamos demasiado ausente, demasiado distante de las contingencias del mundo de afuera y de las incidencias de la vida de todos los hombres y de todos los días. Ella nos defraudaba porque, con sus pretensiones de quintaesencia, de filtro, de transporte, de revelación, solía desembocar en la monotonía imaginativa e instrumental, con sus modos y lugares comunes, con su retórica tan congelada y casi tan recurrente como la del realismo social. En éste, el exceso de determinación ideológica que fijaba el sentido sujetándolo a la monodiamonosémica de los esquemas remanidos con los cuales se pretendía interpretar la realidad, y la extremada restricción expresiva impuesta por el decir claro y directo en aras de una legibilidad popular, reducían el registro a la lengua llana y a la representación verista de lo verificable. Estaba también el surrealismo tórrido y torrencial, afecto a la orgía metafórica, al frenesí telúrico. Su nostalgia de los paraísos naturales y de la plenitud del adamita no condecía con nuestro afán de modernidad, con nuestro interés por la actualidad, sobre todo artística, con nuestra idiosincracia ciudadana. Su abuso del lenguaje figurado, su factura desaliñada, su insuficiencia de recursos no respondían a nuestro deseo de decir nuestro aquí y nuestro ahora múltiples, multívocos y multiformes con la máxima amplitud estilística.

Tanto la lírica egocéntrica, desbordante o reticente, patética o vaporosa, teatral o musical, como la épica de la saga social, taxativa, voluntarista, proverbial, axiomática habían cortado por completo con la primera vanguardia y producido una regresión técnica y una reducción del decible poético. Estos antagonistas se mancomunaron para rechazar la experimentación, el humor y el juego atrincherándose a la defensiva detrás de escrituras más canónicas, áulicas o vernáculas, culteranas o naturalistas, y en todos los casos más sólitas, más previsibles. Tanto los estetas como los etas repudiaron las distorsiones, descalabros, explosiones; reprobaron los altibajos, mixturas, trastocamientos, disrupciones, disritmias, destiempos y desespacios practicados por los vanguardistas para acordar la representación poética con ese agitado cúmulo de interferencias e intersecciones aleatorias, con ese dinámico colmo de variables simultaneidades que es la realidad.

Los poetas que empezábamos a publicar en la década del 60 sentíamos necesidad de restablecer los vínculos con el Vallejo de *Trilce,* con el Neruda de *Residencia en la tierra,* con el Huidobro de *Altazor,* con el Girondo de *En la masmédula.* Queríamos devolverle a la poesía la plenipotencia de su capacidad de manifestación; queríamos sacarla del ensimismamiento psicológico y de la estrechez sociológica para reinstalarla en la actualidad candente, convulsionada y acelerada en América Latina por el estallido de una serie de movimientos liberadores. Queríamos volverla a ligar con la lengua viva y con el mundo cotidiano; de ahí esa creciente de coloquialismo y de anecdotario, que la prosifica y la contamina de narratividad para que el cantar y el contar se interpenetren en vívida simbiosis. Queríamos devolverle el talante humorístico y el talento lúdico, devolverle la disponibilidad de dispararse en cualquier dirección y de disparatar; queríamos desacralizarla, desacartonarla, restituirle la plasticidad, la fluidez, la pluralidad, dotarla de la máxima amplitud de recursos para que pudiese decir la totalidad de lo decible. Tal es la poesía que por aquellos años escribíamos, entre otros, Ernesto Cardenal, Roque Dalton, José Emilio Pacheco, Juan Gelman, Enrique Lihn, Antonio Cisneros, Rodolfo Hinostroza y yo.

Nos propusimos contravenir los protocolos honorables, mezclar la solemnidad mayestática con la cursilería popular, la distinción distante del estilo alto con la sabrosa inmediatez del argot. Había que abrir las puertas del palacio, abandonar esa lengua general considerada como inherente a la expresión lírica, aprovechar de toda la extensión del castellano en todos sus niveles, avivarlo, diversificarlo, salpimentarlo para que pudiese comunicar cualquier experiencia, de la más trivial a la más excelsa; había que localizarlo, infundirle color local para ponerlo en contacto/contagio directo con lo circunstancial y circundante, con el ver, el sentir y el decir de la inmensa mayoría. Quisimos concebir una poesía que tuviese presente al presente, que consiguiese ser su cabal representante.

La poesía polimorfa y politonal de *Ciruela la loculira* (1965), adscripta al temperamento y a las prácticas dadaístas, opera con los *ready mades* verbales: el aviso clasificado, la receta culinaria, el conjuro, las fórmulas publicitarias, la charada, la adivinanza, las rondas infantiles, el trabalenguas, la jerigonza, las frases hechas, el dicho, el refranero. Proclive al juego de palabras, explota las posibilidades de composición y descomposición de la lengua, coquetea con el galimatías, la cacofonía y el dislate. Enjambre de signos, cultiva la desfachatez, busca el desparpajo, fomenta las reversiones humorísticas, trata de conferir al sentido toda su reversibilidad:

colorines como jugando
sonsonetes a la musa
la musa cacaratuza
al uni doli
treli cateli
quili quileta
al don al don
al don de decir

al son al son
al son de soñar
sondar sonsacar
patapumbas
pampiroladas
pavesas despampanantes
pizcas de especies pasmosas
arpegios de ambigüedad
desapacibles azúcares
diapasones descaspados
así guisaba guisando
guisando la casi nada

(Pastel de palabras)

La vanguardia inventa los recursos aptos para representar una visión del mundo signada por las nociones de relatividad, inestabilidad, heterogeneidad, azar, velocidad, simultaneidad; pone en práctica la ruptura de todos los continuos, el atonalismo, las mezclas disonantes, la yuxtaposición vertiginosa, la multiplicación de focos, centros, direcciones, dimensiones, las intersecciones aleatorias. Quise reanudar con esta concepción que correspondía a mi percepción del pulular de lo real. Para figurarla, nada más adecuado que el collage, principio de composición que rige casi todas las prácticas estéticas de nuestro tiempo. Sucesión simultánea, cinemática de fragmentos de la más diversa y discordante provenencia que concurren para inscribir combinaciones incidentales, sin perder su alteridad, el poema, activado al colmo de su multiforme energía deviene segmento representativo de ese otro inmenso collage que lo involucra; el poema se vuelve figuración abierta, desbordante de un universo móvil, multifacético, en perpetua transformación.

Fricciones (1969) se abre a cualquier incitamiento ambiental. Tamaña admisibilidad implica afirmar el valor poético de los datos inmediatos de la conciencia; implica preferir lo absurdo, lo aleatorio, lo arbitrario a los ilusorios principios de ordenamiento, a las engañosas asignaciones y designaciones con que se pretende legislar la realidad. *Fricciones* intenta captarla en su manifestación original, como superposición caótica, como bullente atolladero, como turbulento maremagno:

percusores detonan
detonantes percuten
repicante vaivén intermitencias
percusiones detonantes
se abalanzan se encabritan y confunden
tambaleantemente vamos
entre tanto tropel momentáneo
no cesará no cesará
faros vidrios rotos gritos
la racha embarullada
el desparramo de reflejos
encandila
se precipita en ráfagas se espesan
el embrollo de signos
guiñan chistan
superpuestas las señales
apenas vislumbras apenas
el cablerío entrecruzado tapa
la trama de tuberías te emborrona
percuten repican repercuten
como si todas las cucharitas al unísono
revolviendo el azúcar del mundo
con violencia
retumbaran
y la rompiente adentro
desborda atolondrada
se te atraganta adentro
la belleza

(Fricciones 68)

Fricciones procede a poner en funcionamiento la vastedad del castellano con la convicción de que nada es ajeno a la poesía y de que ninguna parcela de la lengua es poéticamente inutilizable. Si el lenguaje es espejo mental de ese otro transcurso del tiempo y el espacio amalgamados: la realidad, la máxima extensión lingüística representará la máxima extensión de lo real. Esta poética comporta un realismo asentado ante todo sobre la realidad preliminar de la lengua, sobre su materialidad canora, antes sobre la aprehensión sensible del soporte que sobre la condición espectral del mensaje.

El gozo por el empleo de la lengua en toda su amplitud se entrama con una crítica al mal uso y al abuso, a la devaluación de la palabra en la era de los medios masivos de comunicación. En contra de la metralla cotidiana de signos vacantes, de la catarata verborrágica manipulada por los sistemas de poder para su propaganda, se toma este remanido remanente para revertirlo y reventarlo, sometiéndolo a choques, fracturas, interposiciones, inserciones sorpresivas, descoyuntamientos. Se trabaja sobre la lengua tópica, prefabricada en serie, para excitarla con descargas desestructurantes, para descodificarla. Se trata de cumplir con el papel contraventor y revulsivo de la vanguardia que se empeña en conservar la contradicción, contrarrestar la uniformidad por el desacato despertador o por el extrañamiento, transgredir los límites de la experiencia admisible, oponerse a la represión, a la violencia reductora del mundo factible, comunicar la ruptura de la comunicación conveniente, el sin sentido liberador contra el sentido unitario al servicio de un orden intolerable.

Concebí *Fricciones* como una poesía ni cardio ni encefalograma, cuyo epicentro no fuese mi individualidad psicológica. La quise ni autoconfesión ni autobiografía, no circunscripta a mi subjetividad empírica, de modo tal que los yoes del mensaje no se identificasen necesariamente con el yo del emisor. No monopolicé las voces del poema ni particularicé la representación adjudicándome el papel protagónico. Para figurar el mundo de todos debía figurarme como figurante y no como figurero. Pero, a la par, el sujeto deseante pujaba por instalarse y desplegarse en mi escritura, por concitar su comunión comunicante, su euforia eufónica, su euritmia cantarina, su sincronía musical. *Retener sin detener* (1973) da libre curso a la vena elegíaca. Lírica tonal, melopea evocadora, mecedora melódica, persigue, por acorde y atenuación, el encanto estremecedor. Sonido y sentido se coaligan concertando esa homofonía homóloga u homología homófona que traza su travesía fusora por debajo de las delimitaciones morfosintácticas para imponer una simpatía subgramatical:

> Va a la vaga deriva
> vuela boga
> anda redunda
> se espirala
> mansa mana
> lontananza
> anda
> por el otoño aquel aquel

enardecido cárdeno
cadmio carmín fulgurando
azafranado bermellón
el río rumorea
morosa mansamente
regreso
algún verdor algunas hojas
quedan
manzanas en el manzanero
alguien hace
mudos ademanes
aguarda
en un inmenso andén

(va la vaga deriva)

Para sacar las cartas secretas del fondo del cráneo, para alcanzar la raíz de los pájaros, hay que descender al fondo sémico, a la lengua infusoria, allí donde el ritmo vocal rencuentra el bucal, el quinésico, al lugar de engendramiento de la significancia, al tiempo unitivo previo a la articulación del signo lingüístico, al corte diferenciador entre significante y significado. Para hallar la llave de los sueños cerrados, la palabra debe acometer su regresión genésica; para aunarse con el objeto primordial del deseo debe reinstalarse en la matriz reparadora, recobrar la bonanza del gorgoriteo original, volver a la prelengua, a la fluidez amniótica, a la flotación melódica, a la melaza sonora del eros aliterante.

Mi discurso desciende, la visión y el verbo se encarnan, se carnalizan, se lubrican, se libidinizan. El poema se reintegra a la movilidad y a la mutabilidad sustanciales. Mi palabra bucea en la bullente riqueza del fondo corporal, incrementa su concreción sensible. adensa su materia por contacto con lo craso y grueso, con lo digestivo, con lo genital. Contra el discurso elevado, contra las logomaquias de arriba o la levitación incorpórea, un contacto desollado con la realidad visceral:

torrenciales esfínteres
torbellinos de jugos estirones
revueltos reductores se propagan
secretan acritudes deshilachan
mucosas papilas enervadas

granulaciones irritantes excrecencias
mórbidos bulbos burbujas aceitosas
cuajos blandos apéndices adhesiones adiposas
meandros afelpados dentaduras
algodonosas vísceras laxos túmulos cutículas
bolos pedículos pedúnculos
tendones sebosos tegumentos tupen
ácidas tintas colman las cavernas
se tensan y se laxan pulsátiles válvulas
membranosas costras crestas crespas
apelotonan ceban criban embuten ungen chupan

(Mis entrañas)

Imaginación erótica e imaginación verbal se mancomunan en un ímpetu coral, donde el vehículo es tan importante como la visión o donde la visión es sobre todo una intervención lingüística: lengua afrodisíaca: las palabras se acoplan según un libre juego de atracciones y rechazos: el poema se entrega al placer conjuntivo, al eros relacionable y traslaticio que plasma sus propias constelaciones: lengua emoliente, albuminóidea, légamo, protoverbo turgente, jalea lúbrica:

untar tus abras
querella de lemures lamerones
fermentarnos repostera
con umbilicales levaduras
resinarnos en el untuoso engaste
engolosinados
engrosarte brioso grasa germinal
glorificada espolean
cardúmenes se agolpan
oleosos escualos se relamen
galvánicos
se engalgan en engrudado
engarce
tropel/espasmo

(yesca y yugo)

Escribir: meter la mano en las vísceras, penetrar hacia la entraña deseada y deseante, descender para habitar el cuerpo, reconciliar la palabra con el funcionamiento y la productividad orgánicos.

Por un lado la palabra devuelta a la base corporal

de la fonación, una palabra pulsional que se introvierte en busca del placer oral y glótico; y en la antípoda, otra palabra que corta el cordón umbilical que la liga a su locutor. En oposición a los poemas lúbricos, los lúdicos, los adictos al arte combinatoria, a los juegos que autorregulan, a los interregnos festivos que instauran sus propios principios de organización. En contra del absolutismo sentimental y del extremismo instintivo, el distanciamiento liberador de una poesía autosuficiente, autoexpresiva, autorreferente, regida por sus relaciones específicas y circunscripta al ámbito de su peculiar pertinencia. En lugar de los poemas expresionistas, confidenciales, oraculares, orgiásticos, la poeticidad intrínseca. El poema se muestra como maquinación lingüística con el mecanismo a la vista, sin ocultar su condición de artilugio retórico y sin la pretensión de transmitir una gnosis exterior a lo textual:

los péndulos los pantanos
los péndulos pantanosos
los pantanos pendulares
los párpados los desparpajos
los párpados desparpajados
los desparpajos parpadeantes
los caracoles los cristales
los caracoles cristalinos
los cristales acaracolados
los poros las adormideras
los poros adormecidos
las adormideras porosas
los alabastros los barriales
los alabastros embarrados
los barriales alabastrinos

(Los prismas urticantes)

Pasaje de las formas orgánicas a las abstractas, a los moduladores calculables, a la composición geométrica. En vez de explayar una versión personal de la experiencia extralingüística, presenta una diversión que se complace en el manipuleo concreto de la materia verbal sin preocuparse por trascenderla. En *Rimbomba* (1978) juego con construcciones canónicas, con temas y variaciones, con progresiones, con matrices básicas, con montajes modulares, con las máquinas textuales.

Y como contrapeso del juego de abalorios, del ludo

y del laúd, hago una poesía hiperpsicológica, que todo lo reinyecta en la caja craneana, todo lo regresa al revoltijo de un caletre en pleno hervor. Poema palimpsesto, de decurso espasmódico y discurso descabellado, se desmide y se descose para figurar la prefiguración, el atolladero de una conciencia captada en el pináculo de su energía proteiforme, en pleno pulular de sus virtualidades, antes de enfilarlas y distribuirlas en las series gramaticales. El poema se propone registrar los aflujos descompaginadores, los pujos de la carga del fondo impaciente que pugnan por desbaratar los dispositivos de la textualidad estatuida, por desgarrar la textura de los logogramas. El poema quiere inscribir las irrupciones discordantes de ese colmo de heterogeneidades díscolas que no se dejan ni asignar ni designar, busca descender al sujeto pronominal por debajo del orden simbólico, al lugar de su engendramiento. Mudadizo, escurridizo, ubicuo, equívoco, el sujeto deseante quiere ocupar todas las instancias de la locución, así los plenos como los vanos, los sintagmas y los ruidos, la ilación y sus desquicios, lo fónico y lo áfono.

Y en contrapartida de la tromba egotista, de la ciénaga psicótica, la parodia de las escrituras pretéritas. El poema como memoria y como reserva de la lengua, como intersección de múltiples travesías de signos próximos y remotos en continuo intercambio, como una de las tantas encrucijadas posibles dentro del inmenso espacio de la letra, representa actualizando sobre su escena textual las pompas literarias de los pasados incitantes. Carnaval de la lengua, baile de disfraz y fantasía, el poema mima otras figuraciones, otras fulguraciones, remeda y renueva lo que del acervo aprovechable lo fascina.

Así me muevo alternativa y simultáneamente entre diversas prosodias y poéticas dispares. Contra toda fijeza preceptiva, contra toda normativa categórica, aspiro a una libertad que se complace en el ejercicio de todas las posibilidades poéticas.

Salvador Tenreiro: Conversación con Saúl Yurkiewich

Está en circulación el último libro de poesía de Saúl Yurkievich, Acaso Acoso. *Publicado en España por la editorial Pre-Textos, este nuevo libro viene a fortificar una experiencia poética iniciada en 1961 con* Volanda linde lumbre, *a la que se han ido sumando otros títulos como:* Cuerpos *(1965),* Ciruela la loculira *(1965),* Berenjenal y merodeo *(1966),* Fricciones *(1969),* Retener sin detener *(1973) y* Rimbomba *(1978). Saúl Yurkievich ejerce, además, la crítica literaria;* Fundadores de la nueva poesía latinoamericana y Confabulación con la palabra *son, tal vez, dos de sus libros de mayor audiencia. Tanto en el ámbito de la poesía como en el de la crítica literaria latinoamericana actual, la obra de Saúl Yurkievich se ha constituido —por su constancia, su rigor y su lucidez— en una de las referencias de mayor significación. La conversación fue sostenida en París en julio del 82.*

I. CRITICAR LA CRITICA

Salvador Tenreiro: Usted se ha referido varias veces a la «insuficiencia instrumental del análisis lingüístico». ¿Desconfía usted de las metodologías que intentan explorar los textos poéticos? ¿Su «Crítica de la Razón Lingüística» podría convertirse hoy día en «Crítica de la Razón Psicoanalítica»? o ¿Semiótica?

Saúl Yurkievich: No desconfío de las metodologías que intentan explorar los textos poéticos, desconfío de las sistemáticas, de las sumas, sobre todo si pretenden imponer una vía preponderante. La polivalencia, la multivocidad del signo poético invita a una lectura a múltiples niveles en activa e íntima correlación. Rechazo toda hiperdeterminación metodológica, todo monopolio analítico de la significancia poética, cuya complejidad, cuya sinuosidad, cuyas virtualidades escapan al cerco de cualquier voluntad de sistema. De ahí «Crítica de la razón lingüística» que puede extenderse a la razón sociológica, psicoanalítica, semiológica o a cierto hiperretoricismo. Reacciono allí contra el exceso de formalización, el mecanicismo y el cientificismo tecnocrático de la lingüística estructural, sobre todo en su aplicación abstrusa al análisis de textos poéticos contemporáneos, aquellos que ponen en práctica todas las libertades textuales (de dirección, de extensión, de asociación, de disposición). Mi impugnación se basa en su incapacidad de ir más allá de la descripción, descripción muy discutible por su empeño en remitirse al modelo frástico y a una noción estática de estructura. Critico su inoperancia frente a la información específicamente estética, su ignorancia de lo histórico, lo simbólico, lo sociológico, lo psicológico e incluso lo gnoseológico.

No hay en el poema una razón hegemónica que permita la aplicación de una exclusiva racionalidad analítica; hasta puede decirse que una racionalización de lo poético es sólo posible hasta un límite que deja fuera de razón gran parte del mensaje. Las metodologías no saben plegarse a las exigencias propias del objeto de análisis; buscan objetos que les permitan aplicar sin trabas sus instrumentaciones autosuficientes, centrípetas. Creo que el poema dicta sus claves de interpretación, señala sus accesos. Creo en la pluralidad exegética, en una hermenéutica pluridisciplinaria.

ST: Y la Crítica Literaria que se produce en Latinoamérica ¿responde a esa pluralidad exegética? ¿Cómo ve usted la relación entre la literatura latinoamericana y los discursos críticos que intentan dar cuenta de ella?

SY: El brote neovanguardista de la década del sesenta, al que llamo segunda vanguardia en relación con la vanguardia de los años veinte, es principalmente narrativo. Produce en la novela una actualización semejante a la operada por la primera vanguardia en poesía. La novela latinoamericana abandona los modos del novelar decimonónico: el realismo documental, el despliegue armónico-extensivo, la homogeneidad estilística, la linealidad discursiva, el punto de vista único; opta por la mezcla simultaneísta, la articulación por saltos o fracturas, el estallido formal; se vuelve objeto inestable, discontinuo, aleatorio, arbitrario; adopta el montaje cinemático, la forma collage; practica la variabilidad y la admisibilidad máximas. Esta novela, a la par que conserva, como es propio del género, un evidente poder referencial, de representación convincente del mundo, es producto de una aguzada conciencia retórica. A la par que el público se reconoce en esa figuración moderna de sus realidades, esta novelística obra de acicate de la reflexión sobre la índole del acto literario. La misma puesta al día operada en el campo de la producción literaria se lleva a cabo en el terreno de la crítica. En grueso, puede decirse que la nueva novela halla o genera críticos aptos para interpretarla, para asegurar ese intercambio entre creación y crítica que es sustentáculo imprescindible de una buena literatura.

La exégesis poética es otro cantar, requiere un instrumental más afinado, más sutil y más sensible, un trato especial con figuraciones simbólicas que no admiten la traducción referencial, con sentidos fugitivos y formas semantizadas que no se dejan conceptualizar. No sé si la neovanguardia poética encontró una crítica con adecuada capacidad de comprensión, con la debida idoneidad analítica. En mi doble condición de poeta y de crítico activo, he procurado asegurar a nuestra poesía de vanguardia el debido apuntalamiento analítico.

ST: Usted que hace Poesía y hace, también, Crítica Literaria ¿encuentra zonas limítrofes entre ambas tareas? Su *Celebración del Modernismo* pareciera pertenecer a ambos dominios ¿no?

SY: En efecto, *Celebración del Modernismo* pone en práctica una crítica mimética basada en la aprehensión hedónica del texto, crítica cómplice, participante, inficionada de literatura. No creo en la objetividad positivista cuando se trata de analizar mensajes estéticos cuya transmisión parte de la ficcionalidad, de la suspensión imaginante, de convenciones que presuponen una mediación preceptiva y un condicionamiento perceptivo. Ante esta comunicación por la imagen personalizada, por transferencia subjetiva, no creo en la distancia científica, creo más bien en una compenetración, en un entremetimiento fecundante entre poesía y crítica.

ST: ¿Cómo se articula *Acaso acoso* con el resto de su producción poética?

SY: Retomando la escritura de mis libros anteriores, *Acaso acoso* la lleva a su mayor ajuste. Muestra las mismas propensiones: afincar primordialmente en la primera instancia del poema, en la palabra como materia visible y audible, donde lo gráfico y lo fónico son objeto del más cuidadoso y experto montaje; considerar al poema como teatro de la palabra donde la puesta en escena consiste en el despliegue de las potencialidades inherentes a la lengua, en la configuración de su energía intrínseca: sígnica, canora, figural, simbólica. Poetizar es para mí instrumentar la plenitud de la palabra. Trato en *Acaso acoso* de poner en funcionamiento poético la más vasta extensión lingüística, de operar en toda la vastedad del castellano, de lo familiar a lo artificioso, desde las voces actuales hasta las antiguas, sin temor al cultismo, al arcaísmo, al término técnico o neológico, sin perseguir valores románticos como la espontaneidad o la naturalidad, sabiendo que el poema es siempre, aunque lo oculte, tramoya ilusionista, objeto de arte verbal, estratagema inevitablemente retórica. Pero en *Acaso acoso,* además de la sensualidad, de la voracidad verbales, además de la voluntad de diseño, hay mayor intención gnómica que en mis libros precedentes. *Acaso acoso* comienza por un poema sobre el tiempo cero, tiempo del nacimiento y de la muerte, tiempo ignoto, tiempo cósmico, y termina por una cosmología, una teodicea moderna; por ende, caótica, catastrófica, infernal; una caogonía.

II. «INSERTAR NUESTRA POESÍA EN LA REALIDAD CONTEMPORÁNEA»

ST: En *La Confabulación con la Palabra* usted se refiere a la Poesía en tanto que ella es «jugo y juego de palabras». Dice, además, que poetizar es «instrumentar la plenitud de la palabra». ¿Qué significa, entonces, «insertar —como usted proponía en ese mismo libro— la poesía en la realidad»?

SY: Cuando, en *La confabulación con la palabra,* decía insertar la poesía en la realidad, me refería a nuestra reacción (por vía del prosaísmo, del coloquialismo, del humor, de lo anecdótico, de las técnicas de contaminación y descendimiento) contra la sublimación evasiva y la estilización idealista de la poesía precedente. La poesía pura o visionaria, retirándose del mundo de todos, quería recuperar la sacralidad y los poderes trascendentales, desasirse del presente imperioso, reafirmar la intemporalidad y la universalidad del arte. Consideraba entonces a esta poesía como regresiva, como reaccionaria, sujeta a una estrategia de aislamiento, de encapullado frente a la agresión de la historia cataclísmica de este siglo, frente a la cultura industrial y urbana, a la sociedad de masas. Pensaba que la poesía debía ser la mediadora entre mente y mundo, el medio de representación que permite figurarlo e inteligirlo, la aprehensión por medio de su imagen. Creía que debíamos seguir el ejemplo dadaísta.

ST: ¿En qué consistía, esencialmente, ese ejemplo? ¿Cuáles eran, entonces, los aspectos del dadaísmo que convenía reivindicar?

SY: Bien. Los dadaístas enfrentan la situación de menoscabo provocada por la concentración urbana y la cultura masiva. Asumen la quiebra del orden agrario, la rotura de la cohesión social, el descrédito del humanismo tradicional, la invalidez axiológica, la carencia óntica. Saben que tienen que obrar en el vacío, al borde del abismo. Procuran modificar la situación de arrinconamiento, la decepción ante el mundo inhabitable en energía transformadora. Son los primeros en aventurarse por el páramo industrial a través de experiencias de distorsión, irrisión y aridez lingüísticas. Como no pueden escapar factiblemente al desbarajuste y al vaciamiento, los enfrentan mediante tácticas de choque o de diversión. Buscan liberarse de la insignificancia o del sometimiento sociales por la reversión humorística, los descalabros burlescos, la irreverencia juguetona, por los efectos de sorpresa, por el *non sens*, por la extrema incoherencia, por una estética de la mutabilidad capaz de emplear cualquier material, cualquier procedimiento como ariete o garrocha para sobrepasar los sentidos admisibles. En contacto inmediato con la lengua colectiva, con la multiplicación y la simplificación de mensajes operados por los medios de comunicación masiva, abren su escritura a lo coloquial y a lo popular urbanos, a la estereotipada metralla del lenguaje publicitario y periodístico. El lenguaje no obra ya como represa protectora sino como una energía colectiva que se debe liberar conjuntamente con las otras fuerzas naturales y sociales.

ST: ¿Cómo asumieron los poetas de su generación ese retorno a la primera vanguardia? ¿Se produjeron algunos libros de importancia en ese sentido?

SY: Mi generación, la de los años sesenta (dale con la decadología), representa, en sus mejores exponentes, un brote neovanguardista. Hay en la poesía latinoamericana (quizá suceda lo mismo en las otras áreas de la literatura occidental) una pulsación en la que alternan los movimientos de dilatación (modernismo, primera y segunda vanguardia) con los de contracción (epígonos del modernismo, generación del 40 y probablemente el crepuscularismo actual). En los períodos expansivos la literatura se abre al mundo de lo extraliterario, a la diversificación babélica, a lo que está fuera de su dominio específico, a la contextualidad confusa, al barullo exterior, al extratexto. En los períodos de repliegue, se encastilla en su propia inherencia, refuerza su distinción con respecto a los otros discursos, se protege contra el galimatías externo, reitera los modos canónicos, se postula como totalidad autónoma sujeta a sus propios modelos, evita la contaminación del entorno vociferante, ruidoso, se protege contra lo profuso y lo confuso, se ensimisma. Nosotros, retomando el vínculo con la primera vanguardia, nos definimos por la apertura, por la activa y vívida mezcolanza. Quisimos reinsertar la poesía en la realidad contemporánea, conectarla con nuestra experiencia inmediata, con la historia individual y colectiva, quisimos empaparla de la más vasta actualidad (política, estética, gnoseológica). Movedizos y mudadizos —como dije en *La confabulación con la palabra*—, rechazamos las retóricas congeladas, las codificaciones estereotipadas (realistas o idealistas). Reaccionamos contra la excesiva facilidad, contra la ilusoria naturalidad y el empobrecimento instrumental del coloquialismo populista. Sin dogmas, asistemáticos y sin censuras, quisimos decir la totalidad de lo decible sin enajenar los requerimientos específicos del signo poético, sabiéndolo ante todo instancia verbal sujeta a sus propios procesos, a su intrínseca pertinencia, a sus peculiares procederes que procuramos explotar e incrementar. Practicamos una poética multiforme y multívoca en concordancia con una visión relativa e inestable, con una percepción del mundo heterogénea, veloz y simultánea. Quisimos coaligar la avanzada política con la avanzada artística.

Más que referirme a libros decisivos de este período, todavía tan próximo, prefiero dar cuenta de su carácter global, como lo hago en *Poesía hispanoamericana: 1960-1970* (Siglo XXI, México, 1972), donde paso revista a los diez primeros premios de poesía del concurso Casa de las Américas y, a través de su sucesión, trato de cernir y definir ese resurgimiento vanguardista. Sus promotores se llaman Roque Dalton, Ernesto Cardenal, Jorge Enrique Adoum, Juan Gelman, Enrique Lihn, Antonio Cisneros, José Emilio Pacheco, Rodolfo Hinostroza; y del lado brasileño: Haroldo y Augusto de Campos, Decio Pignatari.

III. «COALIGAR LA AVANZADA POLÍTICA CON LA ARTÍSTICA»

ST: Hace unos cuantos años, en el prólogo de *Luttes Prose Poésie d'Amerique Latine* (V. Change, n.º 21) usted se manifestaba a favor de una alianza entre la avanzada política y la artística. «Retomando el vínculo con la vieja vanguardia, queremos aliar ideología progresista con amplitud formal».

SY: En efecto. La alianza entre avanzada política y avanzada artística es un viejo sueño de aquella vanguardia que busca instalarse en el vértice de la realidad histórica, participar en la remoción y en la renovación sociales, responder positivamente a la acuciante presión de la actualidad, acordar su movimiento y su temperamento con los de esta época de aceleradas transformaciones, adaptar su sistema de representación, sus medios de expresión al cambiante horizonte de conocimientos del mundo moderno. Todo ello a partir de la aceptación del condicionamiento de una era portentosa y catastrófica, signada por las nociones de crisis, corte, colapso, revolución. El arte de vanguardia ha buscado siempre situarse en posiciones de avanzada no sólo estética, también política y gnoseológica, ha preconizado su convergencia con las posiciones más progresistas en todos los campos de la actividad humana. Ha pretendido formar parte de un frente común —llamémoslo frente antropológico— donde la convergencia de objetivos —mejorar la condición humana— no implique ni subordinación de una conducta a otra, ni enajenamiento de la especificidad de cada una. La vanguardia artística ha alimentado casi siempre el sueño de tomar parte activa en una antropología de la liberación. La buena vanguardia ha sido siempre historicista y ha estado ligada a ese motor de las transformaciones históricas que es el pensamiento utópico, ha combatido toda sumisión aplanadora al realismo pragmático, toda reducción empobrecedora de su pluralidad polimorfa y polifónica en aras de esas estrategias pedagógicas impuestas por el populismo político.

ST: Esa proposición suya —compartida, al parecer, por aquella «camada neovanguardista» (como usted decía) integrada por Antonio Cisneros, Roque Dalton y Rodolfo Hinostroza— ¿llegó a concretizarse alguna vez?

SY: Mi proposición de alianza entre avanzada política y avanzada artística da cuenta de un deseo, promovido por fecundas experiencias históricas. Es una fantasía que se nutre de realizaciones significativas, de esas explosiones de creatividad que se dan al comienzo de las revoluciones contemporáneas, cuando el mundo se vuelve de pronto propiedad común, la realidad recobra su fluidez, su fuerza expansiva, las energías sociales hallan espontáneamente sus canales de circulación, son movilizadas por una impulsión comunitaria, y todo comunica con todo. Así lo prueban, en su arranque inicial, tres de las revoluciones de este siglo: la mexicana, la rusa y la cubana. La mexicana desarrolla un muralismo original y promueve los talleres de pintura al aire libre. En el seno de la revolución rusa se gesta el arte moderno: lo que Maiakovsky y Jhlebnikov logran en literatura, Malhevich y Kandinsky lo realizan en pintura, Pudovkin y Einseinstein en cine, Stanislavsky y Meierhold en teatro, Prokofiev y Shostakovich en música... la lista puede prolongarse incluyendo a los formalistas y sus innovaciones en el terreno de la teoría literaria, a la relación de estímulo recíproco entre poesía y la recién nacida lingüística, entre arte y política en el plano de las técnicas de propaganda, entre arte y diseño industrial. También al principio de la revolución cubana se produce un incitante pulular, una prolífica convergencia entre arte y política, notoria no sólo en la literatura, también en cine, teatro, arquitectura, artes gráficas.

Los vendavales de la historia soplan de pronto arrebatando y coaligando a los pueblos en un impulso unánime. Luego viene el congelamiento por instalación del monopolio político, viene la verticalidad jerárquica, el culto a la personalidad providencial, el unicato que se adjudica la omnipotencia multiplicando los controles, la cristalización ideológica, la instauración del dogma, la simplificación impositiva, la monodia monosémica del discurso oficial, el autoritarismo que anula la pluralidad democrática, silencia la crítica, coarta toda iniciativa exterior a la cúpula, que reprime la disidencia, incluso estética. Entonces, la imaginación es expulsada del poder y la vanguardia se convierte en enfermedad infantil de la izquierda. Triunfo de la contención sobre la expansión, de la conservación sobre la innovación. El principio de realidad aplasta al principio de placer, le quita todo derecho de ciudad. Se prohíbe fantasear, se prohíbe inventar. Como decía ese cartel mexicano: «Se prohíbe a los materialistas estacionar en lo absoluto».

ST: A más de diez años de distancia de aquella propuesta ¿cómo ve usted, ahora, la alianza entre nuestra vanguardia política y nuestra vanguardia estética?

SY: Creo que aquella propuesta de alianza entre avanzada política y avanzada estética, formulada en relación con el contexto promisor de los años setenta, conserva la misma vigencia que el pensamiento utópico, se liga con realidades insufladas por la fantasía, con el poder de acicate del deseo que es poder instigador, poder tentativo, poder despertador. Es claro que el fracaso de muchos movimientos de liberación, nuestra situación crepuscular al término del siglo, el milenarismo resurgente (por lo menos en la cultura metropolitana), el ocaso de la vanguardia ligada a la noción de revolución generalizada, el bloqueo de nuestras perspectivas de futuro (venturoso) constituyen hoy un cúmulo de factores que incitan a reubicar al arte y a reubicarse en el mundo.

ST: Sus dos últimas respuestas parecen sugerir que la avanzada política ha sido incapaz de entender y/o aceptar, al menos durante un largo período de tiempo, a la avanzada estética ¿no es cierto?

SY: La aceptación o no de la avanzada artística por parte de la avanzada política depende de la coyuntura histórica y del tipo de régimen que se pretende instaurar. Tenemos suficiente experiencia histórica como para afirmar que en los procesos revolucionarios se da una convergencia inicial de estimulación recíproca que puede durar una década, hasta que el poder político se afianza, e impone, después de la consabida lucha de tendencias, una dirección única que comienza a regimentar ideológica y policíacamente todas las áreas de actividad. Se acrecienta la burocratización, se impone la estricta observancia a la doctrina oficial. Cesa la gestión consultiva y el debate público. Aparecen los inevitables comisarios de la cultura, se incrementa la lucha solapada entre línea dura y disidencia, entre rigoristas y aperturistas. La vanguardia política se institucionaliza, cristaliza, concentra la suma del poder e impone al arte un régimen disciplinario, lo incorpora al sistema de propaganda, lo estereotipa, lo torna previsible, reiterativo, completamente legible; anula los márgenes de libertad imprescindibles a todo arte atento a sus propios requerimientos.

Nuestra historia de la relación de los poetas de vanguardia con la vanguardia política es muy ilustrativa y está por escribirse. Vicente Huidobro, prototipo de intelectual, vanguardista, modernólatra deslumbrado por los avances del siglo mecánico, descubre pronto la amenaza de la civilización tecnológica que busca instrumentar los recursos humanos y naturales del planeta para imponer su programa de una economía mundial de mercado y una unificación total del hábitat. En *Altazor* opta por la antiforma, por la contracultura o cultura adversaria, por una poesía cuyos códigos negativos dicen su rechazo de un mundo excesivamente organizado en torno de una falsa conciliación de valores. Dice su rechazo de un orden opresivo y represivo, dice su desesperada libertad, su barbarie liberadora, su automarginación para salvaguardar, por una radical impugnación, una conducta poética emancipada.

Políticamente, Huidobro eligió siempre las buenas causas, las del progreso social, las del humanismo liberador (el Frente Popular chileno, la República Española, la lucha antifacista). No obstante ha sido maltratado por la crítica de derecha e izquierda con una estrechez de miras, con una incomprensión estética, con una pacatería ideológica alarmantes.

Ejemplares resultan también los casos de Neruda y de Vallejo. Neruda reniega de su estética de vanguardia por considerarla incompatible con su militancia política; halla que todo formalismo, todo enrarecimiento del discurso socialmente admitido son factores de distanciamiento y distorsión del mensaje que busca la legibilidad popular. Cambia la visión desintegradora y la introspección angustiosa de *Residencia en la tierra* por el optimismo militante de sus libros posteriores: se convierte al realismo socialista. El realismo de Vallejo es móvil y mudable como la realidad y como el conocimiento que de ella posee nuestra época. Su realismo está nutrido y activado por la realidad misma a través de un intercambio dinámico y dúctil. Su realismo no se estereotipa en módulos rígidos; no es ni un recetario ni una preceptiva canónica. Su realismo no es una constante formal sujeta a prototipos, no es una fórmula sino una cambiante relación epistemológica con la lábil realidad. Vallejo nunca es compulsivamente simplificador, nunca subordina las exigencias poéticas a dictamen partidario, nunca cercena su libertad de escritura, nunca ejemplifica ninguna cartilla. Neruda se convierte en portavoz de un continente en lucha, es objeto de un culto apoteósico y logra una inigualable fama mundial. Vallejo muere de privación, casi ignorado; incomprendido hasta hace poco, es recuperado arduamente, de modo poco convincente, por la crítica marxista.

Hay otro caso complejo y terrible, el de Roque Dalton. Dalton intenta en *Taberna y otros lugares* inscribir su acaecer en todas las dimensiones, representarlo vívidamente, mediante un registro mutante, tan dispar, polivalente, metamórfico, politonal como el mundo que busca consignar. Dalton quiere cumplir con su palabra renovadora, insumisa, subersiva; volverla palabra en acto, acción directa sobre el teatro del combate libertador de su pueblo. Se incorpora a la guerrilla salvadoreña y es ajusticiado en el seno de un grupo armado, que lo acusa de desviacionista, de cómplice del imperialismo. La vanguardia política es demasiado extremista, sobre todo cuando se militariza, es demasiado absolutista para comprender a la vanguardia estética, para tolerar los márgenes de autonomía que el arte necesita. O quizá haya incompatibilidad fundamental entre actitud política y actitud estética, así como hay oposición de base entre función referencial y función poética. El conocimiento dentro de la forma artística no es traducible a otros términos que los artísticos.

Procedencias

De los textos que aquí se convocan, varios han sido previamente publicados. «Sobre la vanguardia literaria en América Latina» apareció en Culturas, París, vol. VIII, n.º 2, 1982; «El sujeto transversal o la subjetividad caleidoscópica» en Eco, Bogotá, n.º 230, diciembre de 1980; «Una lengua llamando sus adentros» en Quimera, Barcelona, n.º 12, 1981; «El relato limítrofe (entre canto y cuento)» en Ibérica, París, n.º 1, 1983; «62: modelo para armar enigmas que desarman» en Cuadernos Hispanoamericanos, Madrid, n.ºs 364-366, octubre-diciembre de 1980; Pierre Lartigue: «Contar y cantar, entrevista a Julio Cortázar y Saúl Yurkievich» en Vuelta, México, n.º 17, abril de 1978; «Borges/Cortázar: mundos y modos de la ficción fantástica» en Revista Iberoamericana, Pittsburgh, n.º 110-111, enero-junio de 1980; «Borges: del anacronismo al simulacro» en Revista Iberoamericana, n.º 125, octubre-diciembre de 1983; «La resta o el arresto» en Punto de Contacto, New York, n.ºs 3-4, 1981; «La ficción somática» en Texto/contexto en la literatura iberoamericana, *Instituto Internacional de Literatura Iberoamericana, Pittsburgh, 1980; «Esa glotonería poliglota de LARVA» en Escandalar, Saint Elmhurst, vol. 2, n.º 3, julio-setiembre de 1979; «Para dar en el blanco» en Altaforte, París, n.º 8, 1983; «Alberto Girri: fases de su creciente» en Hispamérica, Gaithersburgh, n.º 29, 1981; «Los disparadores poéticos» en Texto Crítico, Xalapa, n.º 13, abril-junio de 1979; Salvador Tenreiro: «Conversación con Saúl Yurkievich» en Zona Franca, Caracas, n.º 34, marzo-abril de 1983. Agradezco a estas revistas la acogida brindada a mis escritos y dejo aquí constancia de mi gratitud a Pierre Lartigue y a Salvador Tenreiro por haber autorizado la inclusión de sus respectivas entrevistas.*

Indice

Esta edición de
A TRAVÉS DE LA TRAMA
compuesta en tipos
Aster de 8 y 9 puntos
por Tecnitype, se terminó
de imprimir el 1 de septiembre de 1984
en los talleres de Romanyà/Valls,
Verdaguer, 1, Capellades (Barcelona)